QUIERO SER VEGETARIANO

Y NO SÉ CÓMO

ANA MORENO

Título:

Quiero ser vegetariano y no sé cómo

Autor: Ana Moreno
ana@anamoreno.com

© 2011, Ana Moreno. http://www.anamoreno.com
© 2011, Mundo Vegetariano SL.
http://www.mundovegetariano.com
http://www.crudiveganos.com
http://www.lafuentedelgato.com

Diseño de portada: Raúl López Cabello
raul@itsasunnyday.com

Primera Edición, Abril 2011
ISBN: 978-84-937539-4-8
Depósito Legal: SE-1783-2011
Impreso en Publidisa

Índice

Hay tantas formas de ser vegetariano como personas que lo son. Aquí comparto contigo la mía, que ya lo soy desde hace casi 25 años...
Ha ido evolucionando, y hoy, es la que me funciona.
Antes que creértela, ¡mejor experiméntala!

Ana Moreno.

PRIMERA PARTE

SEGUNDA PARTE

PRIMERA PARTE

¿QUIERES SER VEGETARIANO Y NO SABES CÓMO?

Algunas personas quieren comer vegetariano, pero no saben cómo llevarlo a la práctica. No saben cómo pasar a la acción y necesitan una guía. Aquí me tienes, humildemente me ofrezco para ser tu guía en esta aventura. Es de las cosas que más me gusta hacer, ayudar a las personas (y animales) a *vegetarianizar* sus dietas, palabra que no viene en el diccionario, pero que, si se me permite la licencia, creo que ilustra de forma adecuada la idea que quiero transmitir.

Lo que pretendo es ayudarte a *vegetarianizar* tu dieta hasta el grado que tú quieras, y teniendo en cuenta tú caso particular.

- No es igual una mujer que da el pecho a su bebé, que un atleta, un anciano o una adolescente. Por tanto, cada cual deberá alimentarse de forma diferente.
- Tampoco deben seguir una dieta idéntica una persona con colesterol, con sobrepeso, con candidiasis, una persona deprimida, diabética, con triglicéridos elevados, con hipotiroidismo o con artritis.
- Si seguimos considerando la particularidad de cada uno, tampoco es el mismo caso el de una persona que come en casa a diario, que el de la que come en el trabajo, el de la persona que disfruta cocinando, o el de quien no le gusta cocinar o no dispone de tiempo.
- Y tampoco se come igual en verano que en invierno.

Todo eso lo veremos en esta obra, y la he escrito para servir de guía y orientación a todo aquél que o bien desee iniciarse en la alimentación vegetariana, o bien aumentar la cantidad de alimentos vegetarianos en su dieta diaria, si no sabe cómo hacerlo.

No obstante, ten en cuenta que por mucho que se quiera llegar a lo concreto en un libro, cada persona somos distintos, y lo más personalizado siempre es acudi r a un profesional de la salud que nos asesore. Un profesional de la salud, huelga decir, natural, que esté a favor de la alimentación vegetariana y que él mismo sea vegetariano, si esto es lo que buscamos. Que cuente con estudios teóricos de prestigio, y amplia experiencia ayudando a todo tipo de personas a *vegetarianizar* sus dietas, en el porcentaje que cada uno haya elegido.

Este es mi caso y si quieres puedo atenderte en mi consulta en el centro de Madrid o en mi casa rural y de salud vegetariana La Fuente del Gato, en un pequeño pueblo de la Comunidad de Madrid, que se llama Olmeda de las Fuentes.

Vegetarianizar nuestra dieta aporta beneficios casi inmediatos; tanto si se da el paso de prescindir totalmente de la carne y de sus derivados, o si se opta por hacer reducciones escalonadas, hasta el nivel en el que uno se sienta cómodo. Se dice que si solamente dejáramos de consumir grasas saturadas (carnes, huevos y lácteos) un día a la semana, reduciríamos su aporte en un 14% anual.

Hoy en día sabemos que si nuestra dieta se compone de proteínas de origen vegetal, podemos reducir ácido úrico y colesterol, así como evitar la ingestión de los residuos nocivos que contienen las carnes producidas industrialmente, como antibióticos y hormonas. Y que además **todas las proteínas que ingerimos, sean de origen animal o vegetal, se desdoblan en aminoácidos igualmente eficaces, provengan de donde provengan.**

Sin embargo, si uno elimina de su dieta los embutidos y la carne roja, y se infla a bollería industrial, hecha típicamente con grasas vegetales hidrogenadas, o a patatas fritas en aceites refinados y reutilizados, no habrá avanzado mucho.

La dieta vegetariana debe contener un aporte adecuado de proteínas, hidratos de carbono, grasas, fibra, vitaminas, minerales, oligoelementos y enzimas. Por eso es conveniente informarse bien antes de dar el paso hacia el vegetarianismo.

Siempre que sea posible, comer alimentos biológicos, que provienen de semillas no manipuladas genéticamente y que además han sido producidos sin pesticidas ni fertilizantes artificiales, nos asegurará la calidad de los productos que consumamos. Actualmente, debido a la creciente demanda, se puede observar una equiparación de los precios de estos alimentos con respecto a los alimentos que no son biológicos.

Recuerdo el primer día que me senté al volante de un coche, para aprender: Casi estrello a mi padre y a mis dos hermanos que iban detrás; eso después de que conseguí arrancar a la sexta vez que lo intenté.

Hoy en día, puedo conducir sin peligro, relajada, e ir hablando por el manos libres a la vez. ¿A que tu también?

Podemos establecer una similitud con los primeros días de la vida vegetariana de una persona. A conducir se aprende conduciendo. No vale con aprobar el psicotécnico. Una vez que uno se sabe la teoría, debe llevarla a la práctica. Y eso es lo que de verdad te va a enseñar, tu práctica diaria, como todo en la vida.

Si ya fuiste vegetariano antes, y lo dejaste porque no te sentías seguro, porque te aburriste de comer siempre lo mismo, o porque te quedaste embarazada y te entró miedo de no estar alimentándote bien, por ejemplo, ¡enhorabuena!, ya tienes mucho camino recorrido.

Si es tu primera vez, ¡bien también!, después de leer este libro, empezarás con una buena base. Pero recuerda, leer este libro y no llevarlo a la práctica, no te dará ni de lejos, el mismo resultado que pasar a la acción hoy mismo. Los errores son nuestros maestros. Nuestro organismo es tan sabio que te permite hacer la prueba sin que te pase nada, puedes lanzarte sin miedo.

Al fin y al cabo, ¿no comíamos antes sólo carne y no nos pasaba nada?

Quiero ser Vegetariano y no sé cómo

¿CÓMO *VEGETARIANIZAR* UNA DIETA?

Vamos a comenzar por un caso práctico. Te contaré lo que hago en consulta normalmente. Pido a la persona que viene que me traiga un escrito de lo que come durante la semana anterior. Lo que desayuna; lo que toma a media mañana, si toma algo; cómo es la comida; la merienda; y la cena; cuanto más detallado mejor.

No es un examen y no hay respuestas buenas o malas; es algo que pido simplemente para conocer mejor sus gustos, su estilo de vida y sus hábitos. Esto me ayuda mucho a la hora de elegir las indicaciones que más le convienen y que le darán mejores resultados.

Sin embargo, a veces me encuentro con mucha resistencia. Hay personas que no hacen el ejercicio, que lo hacen sólo 2 ó 3 días, o que lo hacen "por encima". "Por encima" significa que en lugar de poner que se han comido un bocadillo de pan blanco con bacon y queso, ponen "bocadillo", y yo así no puedo saber ni lo que llevaba el bocadillo dentro, ni qué tipo de pan se usó, ni el tamaño del bocadillo; luego tampoco le vamos a sacar un buen jugo al ejercicio.

Esto me da una idea del grado de compromiso o de implicación que hay en la dieta. Cuanto más valor le da la persona a este ejercicio, mejor suele ser luego el compromiso y grado de satisfacción de la persona con la nueva dieta que acordamos.

Esto es así por varios motivos. Lo primero porque yo dispongo de mucha más información para conocer a la persona: sus gustos, sus hábitos, sus horarios. Siempre les pido que no intenten comer mejor esa semana porque me van a enseñar "los deberes". No se debe cambiar nada, porque no es un examen. Y precisamente cuanto más sincero se sea, mejor para todos. En la consulta yo no juzgo ni critico la dieta de nadie; por tanto, no se trata de que nos engañemos a nosotros mismos, se trata de avanzar en la dirección que queremos.

Y lo segundo es, porque cuando vemos nuestra dieta de una semana (menos tiempo es poco y más no es necesario) escrita en un papel, nos damos cuenta de muchas cosas de las que no éramos conscientes. Por ejemplo si solemos cenar más que comer, si salimos más a comer fuera de lo que creíamos, si nuestra predilección es por el dulce o por el salado, si dejamos muchas horas entre comidas, etc. Se puede llevar una dieta sana y vegetariana en el grado que cada cual elija en todos estos casos, si tienes hábitos de cenar en familia, y es la comida más abundante del día, no tienes por qué cambiarlo. Hay muchos mitos en cuanto a la alimentación, repito, se puede llevar una dieta sana y vegetariana pero adaptada a tu estilo de vida, a tus gustos y a tu idiosincrasia. Por eso es por lo que insisto tanto en conocer a quien viene a mi consulta.

Ahora es tu turno, conócete a ti mismo nutricionalmente. ¿Sabes lo que comes? Aunque pienses que sí, que comes siempre lo mismo, que no te hace falta hacer este ejercicio... créeme, te dará una información útil y valiosa, seguramente te revelará muchas cosas que no conocías de ti mismo. Así que, ¡adelante! Comienza ahora mismo. ¿Te acuerdas de lo que comiste ayer? ¡Escríbelo! Escribe también lo que has comido hoy, y ya tendrás dos días anotados, sólo te quedan cinco y tendrás el ejercicio terminado a la vez que acabas este libro.

No hagas trampas, cógete un papel o mejor una agendita, y anótalo. Después continúa con la lectura de este libro.

Como ejemplo, te copio aquí el registro de una persona a la que traté, para que veas que es sencillo.

Se trata de una chica que me anticipa por email que ha cambiado de una alimentación omnívora a una vegetariana hace 4 meses. En general, su alimentación es la habitual en muchos nuevos vegetarianos. Aunque con el cambio que hizo mejoró mucho, ahora su cuerpo demanda que la dieta esté bien estructurada. El inconveniente que se le suele presentar a los nuevos vegetarianos, es justo el que veo en su dieta, y es que en lugar de basar la alimentación en verduras, la basan en derivados del trigo y lácteos. No significa que no tome nada de verduras, veremos en el registro que sí las toma, se trata de las proporciones, que están invertidas.

Su registro es muy bueno, porque detalla el contenido de cada plato (por ejemplo, si es una pizza o ensalada, dice qué lleva la pizza o la ensalada), pone las horas a las que hace las comidas, lo que revela una información muy valiosa, vemos si toma o no café, cuánto, etc. Y lo más importante, veo sus gustos y su grado de vegetarianismo. No puedo proponerle una dieta a base de coliflor a quien la detesta, o proponerle a un vegetariano estricto o vegano que tome yogur hecho a base de leche de vaca, un derivado animal que los veganos no consumen. Esta chica va a cenar a un japonés, luego le gustan las algas. Esto es una gran información de cara a la dieta que le voy a proponer, y podría haberse pasado por alta si no le pido el registro.

EJEMPLO REAL DE REGISTRO DE ALIMENTOS

LUNES

DESAYUNO:
9.15h   Zumo de mandarina recién exprimido.
10.15h Dos rebanadas de pan integral con aceite de oliva.

COMIDA:
16h (fuera de casa):
Sopa de verduras.
Pizza de masa fina que lleva tomate, mozzarela y champiñones.
1 café con media cucharada de azúcar blanco.

CENA:
21.45h (fuera de casa, en un restaurante japonés):
4 makis de aguacate
4 makis de mango
2 trozos de tofu rebozado con salsa japonesa

MARTES

DESAYUNO:
8.15h   2 kiwis.
10.45h Una tostada de pan de espelta (tipo bimbo) con dos lonchas de tofu.

COMIDA:
13.30h
Coliflor con judías rojas.
2 tostadas de sésamo.
1 café solo sin azúcar.
Un trocito de chocolate negro.

MERIENDA:
18.30h 4 galletas Digestive.

CENA:
21.45h.
Pica dos trozos de queso parmesano mientras cocina.
Ensalada de lechuga, zanahoria, pasas, aguacate, tofu, y semillas lino.
5 espárragos verdes con semillas de sésamo.

MIERCOLES

DESAYUNO:
8.45h
Té de limón con jengibre.
1 kiwi.
Dos tostadas integrales de pan de espelta (tipo bimbo) con aceite de oliva y sal.

COMIDA:
14.15h (fuera de casa)*
Ensalada de lechuga, tomate cherry, maíz, y tres dados queso feta.

Crepe con espinacas, queso de cabra y anarcados.
Blini con chocolate.

*Me indica que normalmente, los miércoles al mediodía suele comerse un bocata de queso sobre las 12.30h porque entra pronto a trabajar muchas veces y ya no come hasta las 23h.

CENA:
22.45h
Un tomate troceado con aceite.
Dos lonchas de queso tierno.
Un trozo de pan blanco tostado.

JUEVES

DESAYUNO:
7.45h
Zumo de pomelo recién exprimido.
Una tostada integral Bimbo con aceite.

A MEDIA MAÑANA
13h
Tengo mucha hambre y de camino a casa pico patatas fritas y un plátano.

COMIDA:
14.10h
Espaguetis con tomate.
Un café solo sin azúcar.
Un bombón.

CENA
22.15h (fuera de casa)
Wok de verduras varias con salsa y especias.

Un cuenco de arroz blanco.
Dos triángulos de porción de pan de pita.

VIERNES

DESAYUNO:
9.00h Un plátano.

A MEDIA MAÑANA
11.30h
Dos galletas Maria.

COMIDA:
14.30h
Judías verdes con patata.

MERIENDA:
18h 4 galletas Digestive.

CENA:
23.15h (fuera de casa, un cumpleaños)
Crema de calabacín con yogur y olivada.
Un panecillo.
Media porción de pastel de chocolate.

SABADO

DESAYUNO:
10.30h
Zumo de un pomelo exprimido.
Dos tostadas integrales con aceite.

COMIDA:

16h. Llego a casa y no me apetece cocinar ni hacer una ensalada, porque estoy resfriada y no me apetece nada frio.
Un vaso de caldo de verduras.
Dos tostadas con sésamo y queso fresco.

CENA:

21.30h (en casa de amigos)
Una porción de pizza casera con cebolla caramelizada manzana y nueces y pasas.
Media porción de pizza casera con mascarpone y espinacas.
4 minitostadas con mascarpone y pimientos del piquillo adobados con aceite y luego en paella con azúcar y sal. Una porción de pastel de queso.

DOMINGO

DESAYUNO:

10.30h
Zumo de naranja exprimido.

A MEDIA MAÑANA:

12h
Dos tostadas integrales con aceite e infusión.

Este es el registro verídico de una de mis pacientes. Ahora comienza el tuyo si no lo has empezado ya. A lo largo de esta obra daremos solución a este registro y tú serás capaz de dar solución al tuyo y comenzaras a llevar a la práctica el arte de *vegetarianizar* tu dieta.

Sigue leyendo, más adelante analizaremos este registro de alimentos.

EL DESAYUNO

Al despertar tu organismo aún está bastante inactivo, tras 12 horas en ayunas, y no es bueno forzarlo demasiado.

Por eso conviene olvidar el mito de que hay que desayunar como un rey, que debe ser la comida más fuerte del día. Esto es especialmente importante para ti si cenas tarde y mucho. En este caso, podría irte bien tomar un té verde o rojo, o un vaso de agua caliente con limón y miel, una infusión, un café de cereales con leche vegetal (de arroz, de avena, de almendras, de avellanas... pero no de soja, más adelante explicaremos por qué, pág. 18), una fruta ligera, como un kiwi o una ciruela seca que habremos puesto en remojo la noche anterior (bebe también el agua del remojado); y esperar un par de horas o tres antes de comer nada más.

Esto también es útil para ti si haces ejercicio por la mañana (yoga, meditación, natación, correr) y desayunas después.

¿POR QUÉ NO DE SOJA?

Cuando digo que la soja es un alimento nocivo, la gente abre mucho los ojos extrañada, pues se nos ha convencido de todo lo contrario. Además, fui yo misma quién escribió hace unos años un libro cantando alabanzas a esta legumbre. Sí es verdad que contiene todos los aminoácidos esenciales, ácidos grasos omega 3 y vitaminas del grupo B, pero a la vez presenta propiedades tóxicas (un elevado contenido en aluminio) que la hacen un alimento nocivo, permitiéndose su consumo sólo como la toman los asiáticos: fermentada, sin pasteurizar, y como condimento.

Como consecuencia de lo elevado de los niveles de ácido fítico de la soja, disminuye la absorción de calcio, magnesio, hierro, cobre y zinc; además, las altas temperaturas que se utilizan en su procesamiento, desnaturalizan la proteína haciéndola indigestible. Por eso a muchas personas les sienta mal.

Otro problema de la soja son sus altos niveles de fitoestrógenos, que pueden favorecer el desarrollo de tumores estrógeno-dependientes. No es un alimento bueno para el tiroides y puede causar cansancio, ganancia de peso, depresión y desánimo en personas que presenten problemas de tiroides.

INGREDIENTES EN LA DESPENSA PARA EL DESAYUNO

- Cereales integrales: arroz integral, copos de avena, copos de centeno, copos de maíz no transgénico, muesli...

- Leche vegetal que no sea de soja. La puedes adquirir en polvo. Así no se estropea y no estás obligado a beberte tú solo todo el *tetrabrick* si no hay nadie más en la familia que la tome.

La leche de vaca no es aconsejable. Aunque contiene calcio, no es verdad que contenga tanto como dicen los anuncios de la televisión; sin embargo sí contiene grasas saturadas y está perjudicada por la cantidad de antibióticos que toman las vacas, para curar la mastitis crónica que sufren, derivada de estar enganchadas a la máquina ordeñadora todo el día.

- Fruta desecada: Dátiles, ciruelas secas, orejones, arándanos, higos, pasas...

- Frutos secos crudos: Almendras, avellanas, nueces... también se pueden comprar en forma de pasta, o "mantequillas de frutos secos".

- Semillas oleaginosas: De calabaza, de girasol, de sésamo (en semillas o en forma de pasta, como el tahini), de lino, chia, de amapola...

- Aceite de oliva virgen de primera presión en frío.

- Melazas, miel, sirope de ágave, sirope de arce, stevia, azúcar integral, o cualquiera que te apetezca para endulzar, evitando siempre la sacarina y el azúcar blanco.

- Infusiones de poleo, manzanilla,... pueden ser las más comunes o las más exóticas, como el té bancha. Todas tienen su beneficio. Evita el té negro en exceso, pues inhibe la absorción del hierro.

- Piezas de fruta de la estación.

Si en invierno quieres desayunar zumo, puedes prepararte un zumo de granada o un zumo de mandarina con pulpa, es decir, batir la mandarina, no exprimirla, por oposición al zumo de naranja, que congestiona el hígado y por ello debe ser evitado. La idea de tomar los zumos con pulpa se fundamenta en evitar que el azúcar de la fruta produzca un pico de glucemia en sangre, si ésta se ingiere separada de su fibra. Otra opción es rebajarlos con agua.

En verano puedes desayunar un batido, hecho con frutas y verduras crudas. Aunque el color es verde, el sabor es delicioso.... Constituyen una forma sencilla de ingerir enzimas, minerales, vitaminas, clorofila, fibra e incluso proteínas.

Batido de frutas y verduras = 70% fruta + 30% hojas verdes + agua al gusto.

¡Ojo es un batido, no un licuado!
Esto significa que se prepara con batidora, no con licuadora.

- Hojas verdes (mejor las de color más oscuro):

Espinacas, hojas de remolacha, hojas de zanahoria, lechugas de todo tipo (excepto la iceberg, por ser poco nutritiva), rúcula, canónigos, berros, acelgas, berza, grelos, hoja del apio, endivias, perejil, cilantro, hoja de la coliflor, col rizada,...

No son hojas verdes las verduras como brócoli, coliflor,... ni hortalizas que botánicamente son frutas como el calabacín, el pepino, el tomate, la berenjena y el pimiento.

- Pan integral de centeno o espelta, pero no de trigo.

¿POR QUÉ NO DE TRIGO?

Durante generaciones se nos ha convencido de que el trigo es un alimento saludable, pues es un cereal barato, con el que se puede alimentar a mucha gente. Sin embargo, cuando se toma trigo refinado, en forma de pan, pasta, pizza, galletas, bollería...

- Aumenta la glucosa en sangre y aparecen las ansias de comer dulces, lo que exacerba el problema.
- El consumo de trigo también es nocivo porque es un cereal rico en levadura y hongos;
- El trigo acidifica el organismo por su contenido en ácido fítico. Para neutralizar el exceso de acidificación se utilizan las reservas alcalinas del organismo (calcio de los huesos y de los dientes) y así mantener el ph de la sangre. Luego de forma indirecta el trigo produce descalcificación (osteoporosis, caries).
- La mayoría de las personas padecemos algún tipo de intolerancia al gluten del trigo (su proteína) en mayor o menor grado, lo que desemboca en alergias y asma.
- La fibra insoluble del trigo, incluso cuando está germinado, es demasiado áspera para nuestro tracto intestinal, resultando irritativa para éste (colon irritable, diarreas).
- Aunque el trigo contiene muchos nutrientes, eso no significa que sea bueno para nosotros; de hecho el consumo de trigo se ha relacionado con enfermedades autoinmunes, artritis reumatoide, hipotiroidismo y erupciones cutáneas; y en cuanto a número de enfermedades (físicas y mentales) con las que se le relaciona, se sitúa en segundo lugar (después de la leche).
- El trigo contiene 15 opiáceos similares a la morfina, que además de ser adictivos (generan actividad de las endorfinas), estimulan el apetito (¿quizá por ello los productores de alimentos preparados los incluyen en casi todas sus formulaciones?) e interfieren con la química cerebral normal.

- Aunque el trigo integral contiene más fibra y nutrientes que el trigo refinado, también contiene más gluten.

- El trigo que se consume hoy en día está muy procesado, hibridado y manipulado genéticamente, hasta el extremo que el organismo humano no lo reconoce como un alimento real, es decir, se ha convertido en un alimento tóxico.

EJEMPLOS DE DESAYUNOS

1. **PARA UNA PERSONA QUE CENA TARDE Y MUCHO**

DESAYUNO. A las 8.30h:

Elegir uno de los siguientes:

- Té verde,
- Té rojo,
- Un vaso de agua caliente con limón y miel,
- Una infusión de hierbas,
- Un café de cereales con leche vegetal y azúcar integral, melaza o sirope de ágave para endulzar.

Si se desea comer algo más, tomar un kiwi o una ciruela seca en remojo.

A MEDIA MAÑANA. A las 11.30h, ver apartado siguiente, en página 27.

En este caso es importante tomar algo consistente a media mañana. Consistente no significa exagerado. Será algo moderado, pero lo suficiente para amortiguar el hambre hasta la hora del almuerzo.

2. **PARA UNA PERSONA QUE CENA POCO Y TEMPRANO**

Puedes tomar un gran vaso de batido de verduras y frutas, o un vaso pequeño y llevarte lo que sobre en un tarro de cristal o de acero inoxidable al trabajo, o allá donde vayas. Te lo podrás ir bebiendo a lo largo de la mañana.

RECETAS DE BATIDOS DE VERDURA Y FRUTA
50% de fruta + 50% de verdura + agua al gusto

Fresas + lechuga + agua

Fresas+ naranja + lechuga + agua

Kiwi + espinacas + agua

Mango + espinacas + agua

Mango + lechuga + berros + agua

Mango + perejil + agua

Mangos + hojas de rabanitos + agua

Manzanas+ peras+ apio + perejil + agua

Melocotones+ lechuga + berza + agua

Melón + hojas de zanahoria + agua

Melón + perejil + agua

Papaya + fresas + cilantro + agua

Pera + acelga + agua

Piña + pepino + lechuga + agua

Plátano + fresas + espinaca + agua

Plátano + lechuga + berros + agua

Plátanos + espinacas + agua

Sandía + lechuga + agua

Uvas + canónigos + agua

El batido de verduras y frutas debe saberte rico: Si no es así, prueba con otras combinaciones de hoja verde y/o añade más fruta, pero no lo bebas si no te gusta. También puedes añadir edulcorantes sanos como dátiles, pasas, stevia o sirope de ágave o de arce. Los nutrientes del batido no se aprovechan igual si se toma como si fuera una medicina. Además si te gusta, lo tomarás con frecuencia y será un hábito. De este modo incluirás con frecuencia grandes cantidades de hojas verdes en la alimentación diaria, notándose claramente los resultados (mejora de las funciones vitales).Es igualmente necesario, variar el tipo de hojas verdes, porque cada hoja verde tiene un aporte nutricional determinado; y para no cansarte, ya que el organismo sacia sus necesidades nutricionales a partir del aporte de esa hoja verde en concreto.

¿SABES QUIÉN ERA LA DRA. KOUSMINE?

Instaló un laboratorio en su apartamento en los años 40. Estudió una especie de rata que desarrollaba cáncer mamario en un 90% de casos, durante 17 años. Las alimentaba con pan seco, trigo integral, zanahorias crudas y levadura de cerveza, porque no podía permitirse los comprimidos nutritivos sintéticos habituales para las ratas de laboratorio.

Es decir, mezclaba una alimentación natural con otra desvitalizada, como el pan blanco. La proporción de tumores descendió al 50%, y pudo comprobar que eran los alimentos crudos y naturales los que disminuyeron de forma tan importante el índice de tumores.

RECETA VERSIONADA: CREMA BUDWIG DE LA DRA. KOUSMINE (SIN LÁCTEOS)

Ingredientes:
- 3 cucharaditas de crema de almendras o de avellanas;
- 2 cucharaditas de aceite lino de cultivo biológico;
- El zumo de medio limón;
- 2 cucharaditas de frutos secos ó semillas oleaginosas recién molidas y crudas: sésamo, girasol, lino, piñones, nueces, pipas de calabaza, almendras o avellanas. Ir alternando cada día;
- 1 cucharada de uvas pasas remojadas, medio plátano, 2 higos secos remojados ó 3 ciruelas pasas remojadas;
- 1 cucharadita de polen;
- 2 cucharaditas de cereales crudos y recién molidos: avena, mijo o arroz integral;
- Fruta de temporada (100-200 gramos).

Preparación:
Si tienes una thermomix, se ponen todos los ingredientes a la vez y se tritura a potencia 10 durante 40 segundos. Si no, primero muele los cereales con un molinillo de café o molino de cereales en frío. Bátelo con los demás ingredientes, excepto la fruta de temporada. Añade fruta de temporada en trozos pequeños y, si lo deseas, acompáñala con una taza de té verde o una infusión de plantas.

UN DESAYUNO RICO EN OMEGA 3

Elige tu cuenco de desayuno y llénalo con leche de almendras o avellanas.
Añade un tercio de semillas chia que de leche vegetal.
Añade una pizca de sal marina, vainilla en polvo y canela.
Déjalo reposar 2 horas o toda la noche.
Después de este tiempo puedes añadirle frutos rojos (frambuesas, moras, arándanos), y endulzar con sirope de ágave.

¿POR QUÉ ES TAN IMPORTANTE EL OMEGA 3 PARA LOS VEGETARIANOS?

Las personas vegetarianas pueden obtener el preciado omega 3 de las nueces o del aceite de lino (3 nueces o 1 cucharadita de aceite de lino cada día), o tomando crackers o panes o madalenas o cualquier preparado vegetariano hecho con semillas de lino trituradas. Aunque el alimento vegetal más rico en omega 3 que se conoce hoy día son las semillas chia. Comer estos alimentos vegetarianos, es una buena forma de tomar ácidos grasos omega 3, en su correcta proporción con los omega 6, y además se evita la ingestión de mercurio, que es un metal pesado, tóxico para todos en especial para un bebé, y que se encuentra en los pescados azules como el atún o el pez de espada.

UN PAR DE EJEMPLOS DE DESAYUNO VEGETARIANO DE CUCHARA

Ejemplo 1.

- Media papaya grande en dados
- Dos puñados de copos de centeno o avena
- Cubierto de kéfir de cabra o leche de almendras o avena
- Canela y jengibre en polvo al gusto

Ejemplo 2.

- Un puñado de moras (si son congeladas, descongelar previamente)
- 1 cucharada sopera de sirope de ágave
- Un puñado de uvas pasas remojadas en agua caliente y escurridas (reservar el agua)
- 1 cucharada sopera de tahini
- 3 cucharadas soperas de avena en copos
- Canela en polvo

Una vez que esté todo mezclado, añadimos agua caliente (la que habíamos reservado del remojado de la fruta desecada y un poquito más al gusto).

A MEDIA MAÑANA

Dependiendo de si se ha cenado mucho o poco, nuestro desayuno habrá sido más o menos abundante.

Si nuestro desayuno es abundante, no es necesario tomar nada a media mañana, o puede tomarse algo ligero, como una infusión o una pieza de fruta.

Si nuestro desayuno es muy ligero porque se ha cenado mucho y tarde, entonces a media mañana será interesante elegir una de las siguientes propuestas, sobre todo para evitar que lleguemos con mucha hambre a la hora de comer y comamos de forma desordenada, picoteando de aquí y de allí, o en exceso:

- Un kiwi o una ciruela seca en remojo.

- Pan de pueblo integral tostado, con aceite de oliva virgen de primera presión en frío y azúcar integral.

- Un batido de fruta y leche de almendras, están exquisitos: con plátano, manzana, leche de almendras y nueces o avellanas. Puedes adquirir un aparatito que se llama *Magic bullet*, y preparártelo en el trabajo. Es ligero, económico, fácil de transportar y de limpiar, y si la mezcla tiene líquido suficiente, es una buena alternativa cuando se trata de batir cantidades pequeñas. Se bebe en el mismo recipiente donde se prepara el batido, que tiene forma de vaso con asa.

- Una rebanada de pan integral de centeno o espelta (evitar trigo) con mantequilla de sésamo natural (tahini) y ajo. Los días en que hace mucho frío, añádele jengibre muy bien troceado.

- Tuesta una rebanada de pan de centeno, añade un chorrito de aceite de oliva virgen extra y después unas rodajas de tomate fresco.

- Los cereales integrales (arroz inflado, copos de avena, copos de centeno) son otra idea. Puedes tomarlos con kéfir de cabra o leche de almendras y sirope de ágave. Una receta sencilla sería avena en copos con trocitos de manzana, uvas pasas y leche de almendras o bien agua caliente.

- Puedes tomar un par de crackers de arroz integral con mermelada de fruta biológica. La puedes hacer en casa con, por ejemplo, naranja biológica, el 30% de azúcar integral para que espese, pasas y canela. También puedes hacerla con sirope de ágave en lugar de azúcar. Añadir especias como cardamomo, jengibre o clavo...

- Puedes prepararte un paté de frutos secos crudos sobre una rodaja de pepino, sobre barquitas de apio o endibias, bastones de zanahorias..., mezclando la mitad de agua que de frutos secos con cebolla, apio, ajo y algunas hierbas como perejil, albahaca, estragón,... Tienes otras recetas de patés vegetales en las páginas 65, 66, 111 y 131.

- Una vez vi a Karlos Arguiñano, emblemático cocinero vasco, recitando el siguiente refrán en un programa de televisión: «Una manzana al día, del médico te libraría».

Y tiene toda la razón. La manzana tiene vitaminas y fibra, y es buenísimo comerla con su piel bien lavada. Ya sabes que es preferible no tomar fruta de postre, para favorecer la digestión (excepto cítricos, manzana, piña o papaya). Como la fruta hay que tomarla, ¿qué mejor momento que a media mañana?

Puedes llevarte una manzana en el bolsillo de tu abrigo y comerla a las 11 ó las 12, cuando veas que empiezas a flaquear y necesitas gasolina. Si lo haces durante 3 semanas, se convertirá en un hábito. Es mucho más sano que comerte una chocolatina. Además, despertarás curiosidad en la gente de tu alrededor, porque en el fondo a todos nos parecen muy atractivas las personas sanas. Quizá incluso captes adeptos a tu dieta vegetariana o, al menos, consigas que vean que «no comes cosas raras».

- Otra idea es llevar frutos secos. Los frutos secos crudos no engordan, porque son una grasa sana y, en cambio, proporcionan energía y proteínas. Por ejemplo: nueces, avellanas o almendras..., fuente del omega 3 y 6.

- La fruta desecada es una buena alternativa: Los orejones, los dátiles, las ciruelas secas, las pasas o los higos secos. Si a media mañana te apetece mucho comer algo dulce, puedes hacerte unas trufas crudiveganas.

TRUFAS CRUDIVEGANAS

Tritura con un buen robot de cocina o thermomix dátiles deshuesados con nueces, a partes iguales, y luego forma bolitas con la masa resultante. Si lo deseas, pásalas por cacao en polvo o coco rallado.

- Hay personas a las que les gusta tomar infusiones durante todo el día. Si, por ejemplo tienes tendencia a la retención de líquidos, puedes elegir una infusión con plantas diuréticas, como la cola de caballo, la ortiga o el espárrago. Estarás ayudando al organismo y aportando una serie de nutrientes que te ayudarán a llegar a la hora de la comida con más calma y serenidad, con el estómago preparado sin estar tantas horas en ayunas.

- En invierno, también puedes tomar caldo vegetal. Si quieres lo puedes hacer en casa, con apio, puerro y col, y aliñar con zumo de limón. Si para ti esto es muy complicado, cómpralo en *tetrabrick*, en algún herbolario o tienda ecológica, donde sepas que no se añaden aditivos ni conservantes innecesarios al caldo.

Después de haber leído todo esto...

¿Tendrías algo que decir en los desayunos del registro de comidas de la paciente que hemos citado al principio de esta obra?

Esta fue mi propuesta:

LUNES

DESAYUNO DEL REGISTRO:
9.15h   Zumo de mandarina recién exprimido.
10.15h Dos rebanadas de pan integral con aceite de oliva.

Como come muy tarde, le propuse un desayuno que sacia más, añadiendo verduras y azúcar de la fruta.

Se trata de incluir un batido de verduras y frutas: Batir 1 mango con dos buenos puñados de hojas de espinacas frescas y de 1 a 2 vasos de agua.

No es licuar, es batir, con una batidora. Esto lo matizo aunque igual te pueda parecer obvio, pero me lo preguntan mucho. Si tienes una batidora de vaso, es ideal. Lo mejor sería thermomix, es una maravilla, lo hace todo muy rápido y, si no te gusta cocinar, es ideal. La puedes comprar a plazos sin intereses desde 25 euros/mes, yo creo que merece la pena.

También le propuse preparar en una cacerola 1.5 litros de infusión de cardo mariano, alcachofera y diente de león, 1 cucharadita de cada una de las hierbas: *Si consideras necesario endulzarlo, lo puedes hacer con un chorrito de sirope de ágave. Si ves que no te gusta nada el sabor, pues es amargo, puedes ponerle también té rojo. Esto métalo en un termo y te lo llevas contigo allá donde vayas, te lo vas bebiendo durante todo el día. Te ayudará a depurar hígado, a no pasar tanta hambre entre comidas y a eliminar grasas.*

MARTES

DESAYUNO DEL REGISTRO:
8.15h   2 kiwis.
10.45h Una tostada de pan de espelta (tipo bimbo) con dos lonchas de tofu.

Por otro lado, no soy partidaria ni del tofu ni del seitán ni en general de este tipo de alimentos procesados y pasteurizados. La espelta es un cereal que está bastante regular, no llega al límite del trigo, pero no se le puede considerar un buen sustituto para todos los días, pues también es rico en gluten. Entonces, los días que te apetezca masticar, puedes desayunar copos de avena. Le añades agua caliente, le picas los kiwis, y lo endulzas con sirope de ágave. Esto está buenísimo. Puedes llevarte un cuenco y los copos envasados a donde vayas. Para el agua caliente te puedes hacer con un hervidor de agua, o tomar el agua del tiempo si quieres. Te puedes tomar los kiwis en ayunas como has hecho aquí muy bien, y luego tomarte con los copos de avena y su agua caliente, una manzana o una pera picada.

MIERCOLES

DESAYUNO DEL REGISTRO:
8.45h
Té de limón con jengibre
1 kiwi
Dos tostadas integrales de pan de espelta (tipo bimbo) con aceite de oliva y sal.

Mejor los copos de avena o el batido de mango y espinacas. En invierno no es tan necesario tomar fruta sola en ayunas. Ya te lo pedirá el cuerpo en verano. La fruta no es tanto de invierno.

JUEVES

DESAYUNO DEL REGISTRO:
7.45h
Zumo de pomelo recién exprimido.
Una tostada integral bimbo con aceite.

Quiero ser Vegetariano y no sé cómo

A MEDIA MAÑANA
13h
Tengo mucha hambre y de camino a casa pico patatas fritas y un plátano.

Es normal que te mueras de hambre porque no has comido desde las 7.45 a las 13, son muchas horas. Es importante que a media mañana tomes algo, que puede ser un cuenco pequeño de cualquiera de las propuestas del desayuno o de media mañana. No se trata de una comida, sino de un tentempié. Tienes que buscarte estos trucos.

VIERNES

DESAYUNO DEL REGISTRO:
9.00h Un plátano.

A MEDIA MAÑANA
11.30h
Dos galletas Maria.

En lugar del plátano, por un poquito más de esfuerzo se puede tomar un batido verde, por ejemplo el que mencionábamos antes, con mango y espinacas, lo puedes hacer también con plátano y espinacas, en lugar del mango.

En lugar de las dos galletas Maria a media mañana, pueden tomarse 2 trufas de las que ya sabemos hacer, con dátiles y nueces.

SABADO

DESAYUNO DEL REGISTRO:
10.30h
Zumo de un pomelo exprimido.
Dos tostadas integrales con aceite.

Si quieres tostadas, mejor que sea pan de centeno 100%.

DOMINGO

DESAYUNO DEL REGISTRO:
10.30h
Zumo de naranja exprimido.

A MEDIA MAÑANA:
12h
Dos tostadas integrales con aceite e infusión.

Si quieres un zumo, mejor incluir la pulpa, que sea un batido, no un zumo, y siempre mejor de mandarina o pomelo que de naranja. Otra opción es rebajarlo con agua.

Ahora tu turno, con todo lo que ya sabes...
¿Estás listo para *vegetarianizar* tu desayuno
y lo que comes a media mañana?

Adelante. Es tu turno. Toma tu registro de comidas y diseña un nuevo desayuno para ti. También revisa lo que comes a media mañana, según las pautas que hemos aprendido.

La pregunta básica es ¿Cómo son tus cenas? Si tus cenas son abundantes y a una hora tardía, ya sabes que deberás elegir un desayuno más liviano y no saltarte el tentempié a media mañana, Si las cenas son ligeras y temprano, ya sabes que normalmente será más adecuado desayunar algo más sólido.

Otra pregunta básica es ¿Estamos en invierno o en verano? Los desayunos de invierno se basarán más en cereales y los de verano más en frutas, ésta es la diferencia básica. En invierno tomaremos alimentos más calientes o que calienten (con especias como el jengibre o la canela); y en verano tomaremos alimentos a temperatura ambiente y que enfríen, como las frutas.

Diseña tu nuevo desayuno bajo la premisa de que sea algo que puedes mantener en el tiempo. No te pongas metas imposibles, adáptalo a ti. Tú eres quién mejor te conoce.

COMIDA

La comida debe ser rápida y fácil de preparar. Además tiene que ser energética, pues aún nos queda toda la tarde por delante; pero no tenemos que empacharnos (intoxicarnos), ¡pues así no se puede trabajar ni hacer nada! Por tanto, la comida debe ser: Sencilla, práctica, ligera, energética,...

Los ingredientes de base que debes tener en tu despensa para cocinar a medio día son:

- Vegetales de hojas verdes: Espinacas, hojas de remolacha, hojas de zanahoria, lechugas de todo tipo (no iceberg por ser poco nutritiva), rúcula, canónigos, berros, acelgas, berza, grelos, hoja del apio, endivias, perejil, cilantro, hoja de la coliflor, col rizada,...

- Hortalizas que botánicamente son frutas como el aguacate, el calabacín, el pepino, el tomate, la berenjena y el pimiento.

- Verduras como brócoli, coliflor, repollo, col, coles de Bruselas, hinojo, calabaza, puerro, apio, alcachofas, espárragos.

- Cereales: Arroz integral, arroz basmati, centeno, kamut, quínoa, avena, mijo, etc. Evitar trigo y derivados, como la espelta o el seitán. Evitar el maíz si no es ecológico.

- Legumbres: Lentejas, lentejas rojas, garbanzos, judías azuki, etc. Evitar soja y derivados como tofu o la salsa de soja. Sí se admite el tempeh, un derivado de la soja, por ser un alimento fermentado. Lo ideal es que no esté pasteurizado.

- Algas.

- Germinados, de alfalfa, de cebolla, de rabanitos, etc. Evitar germinados de soja.

- Aceite de oliva virgen de 1ª presión en frío.

- Condimentos: Sal marina atlántica; especias variadas, como pimienta, comino, jengibre, cayena, pimentón, etc); e hierbas variadas como albahaca, menta, salvia, romero, perejil, etc. Se admite el miso, que es pasta de soja, por ser un alimento fermentado. Lo ideal es que no esté pasteurizado.

- Los frutos secos y las semillas son ingredientes de base para las comidas a medio día en verano; pero en invierno, su momento ideal es el desayuno y la cena.

- Si se toman huevos (mejor en tortilla o cocidos que fritos), o lácteos (queso, nata, mantequilla, crema de leche, leche, helados), se elegirá o huevos ó lácteos, nunca los dos. Y no se incluirán en ninguna comida que lleve cereales o legumbres; es decir, se combinan con verduras, hortalizas, algas, germinados, aceite de oliva y condimentos.

MENÚ VEGETARIANO TÍPICO PARA COMER

Quizá puede haber platos vegetarianos que, a priori, pueda parecer que resultan más atractivos. No obstante, el paladar poco a poco se va afinando y va disfrutando de los sabores más sencillos. Además considero que hay que fijar unas bases, unos hábitos y unas costumbres lo más higiénicas posible, cuando tenemos la suerte de poder comer lo que cocinamos nosotros. Así cuando comas fuera de casa y te veas obligado a hacer excepciones, podrás equilibrar perfectamente tu alimentación, porque llevas una buena base de casa, de comer alimentos sanos y vitalizados. Acuérdate del experimento de la Dra. Kousmine (página 24).

Este menú que te voy a proponer para comer es un menú cuyo plato principal se puede preparar en abundancia, como para tres días, y así no hay que cocinar cada día. Se puede guardar lo que sobre en porciones, e ir sacando las raciones la noche anterior, tanto para comerlas en casa como en el trabajo. La idea es variar cada día el cereal, la legumbre y la verdura; y que las ensaladas sean siempre diferentes. La rutina es el enemigo número uno de la dieta sana vegetariana. Lo primero, porque si te aburres de comer siempre lo mismo, es posible que abandones la dieta. Lo segundo, porque ningún alimento por sí solo es la panacea. Lo son los alimentos en sinergia y cuando son ingeridos de forma variada.

PRIMER PLATO

Comenzar por una ensalada de hojas verdes y hortalizas crudas, aliñada con aceite de oliva y sal marina atlántica.

SEGUNDO PLATO (PLATO PRINCIPAL)

Continuar por un plato combinado en el que pongamos un 25% de un cereal o (nota que pone "o" y no "y") una legumbre (repasa la lista de pág. 35 de lo que son cereales y lo que son legumbres), que puede estar germinado o cocido con algas, y un 75% de una verdura cocinada al vapor o en olla a presión. Después aliñaremos todo en crudo con sal marina atlántica, especias, hierbas y aceite de oliva virgen de 1ª presión en frío.

POSTRE

Generalmente evitaremos tomar postre, en todo caso una infusión digestiva.

EJEMPLOS

PRIMER PLATO:

OPCIÓN 1: Ensalada de canónigos con tomatitos cherry y albahaca, aliñada con sal marina atlántica, vinagre balsámico de Módena y aceite de oliva virgen.

OPCIÓN 2: Ensalada sencilla, hecha con escarola y granada, aliñada con sal marina atlántica, vinagre de manzana y aceite de oliva virgen.

OPCIÓN 3: Ensalada con rúcula, tomate seco, endibias y pimientos rojo y amarillo en tiras. Aliñada con sal marina atlántica, mostaza, sirope de ágave y aceite de oliva virgen.

OPCIÓN 4: Ensalada de algas hiziki hidratadas, zanahoria rallada, apio, y perejil. Aliñada con sal marina atlántica y aceite de oliva.

SEGUNDO PLATO (Se puede tener congelado en porciones):

OPCIÓN 1: Garbanzos con acelgas, en la proporción de 25% de garbanzos y 75% de acelgas.

OPCIÓN 2: Lentejas estofadas con algas y verduras, como puerro, cebolla o calabaza, en la proporción de 25% de lentejas y 75% de verduras.

OPCIÓN 3: Arroz integral con espárragos, con coles de Bruselas o con alcachofas, en la proporción de 25% de arroz y 75% de verduras.

OPCIÓN 4: Quínoa salteada con brócoli, repollo o espinacas, en la proporción de 25% de quínoa y 75% de verduras.

Como ves, se trata de ir mezclando un ingrediente de cada grupo, pero no todos los grupos a la vez, ni varios de cada grupo juntos. Este es el secreto para una digestión y metabolización óptima sin que falten nutrientes. Lo importante es comer variado, pero en esta línea.

Evita incluir huevos o lácteos en las ensaladas; y si lo haces, de segundo plato no tomes cereal ni legumbre, sólo verduras, u omite el segundo plato. Los huevos y lácteos son muchas veces las únicas opciones vegetarianas en los menús fuera de casa. Si eliges comerlo, resérvate para estas ocasiones y evítalos como norma general cuando comas en casa. De este modo no sobrecargarás la alimentación en cuanto a grasas saturadas, sodio y proteínas en exceso; así como alimentos demasiado densos y acidificantes (Ver EQUILIBRIO ÁCIDO-BASE, pág. 77)

CENAS

En la cena tomaremos los alimentos que complementan y equilibran la dieta, en función de lo que hayamos comido durante el día. Es decir, evitaremos lo que ha sobrado a medio día, que se reciclará para pasado mañana. La dieta debe ser variada para que nuestro cuerpo pueda beneficiarse de todos los nutrientes que proporcionan los diferentes alimentos. Tal y como hemos visto anteriormente, un solo alimento no puede aportarnos todo lo que nuestro cuerpo necesita.

Este es el momento de tomar ensaladas abundantes con vegetales verdes y semillas (sésamo, calabaza, girasol, chia, amapola...). También purés de legumbres, sobre los que puedes espolvorear las semillas. La receta básica para hacer purés de verduras vegetarianos es cocer un 30% de puerro o de cebolla con un 70% de la verdura elegida: Un día calabacín, otro día zanahoria, otro día calabaza, otro día coliflor, espárragos trigueros, setas... Lo mejor es emplear cada día una verdura diferente y así no tenemos la sensación de estar comiendo siempre lo mismo. Una vez cocido, aliñarás con sal marina atlántica y aceite de oliva virgen en crudo, y lo triturarás todo. Nota que no hemos usado patata, que sería un alimento rey (ver la TEORÍA DE LOS REYES Y LOS SIERVOS en pág. 57).

RECETAS DE CREMAS DE VERDURAS

30% puerro/cebolla + 70% calabaza + agua

30% puerro/cebolla + 70% calabacín + agua

30% puerro/cebolla + 70% trigueros + agua

30% puerro/cebolla + 70% shiitake + agua

30% puerro/cebolla + 70% coliflor + agua

30% puerro/cebolla + 70% brócoli + agua

30% puerro/cebolla + 70% espinaca + agua

30% puerro/cebolla + 70% tomate + agua

30% puerro/cebolla + 70% pimiento + agua

30% puerro/cebolla + 30% coliflor + 40% brócoli + agua

Una vez cocido lo anterior, añadir aceite de oliva en crudo y sal marina atlántica. Triturar y servir. También se pueden condimentar con miso, una cucharadita por plato, disuelta directamente en el plato, para que no hierva y no se destruyan sus enzimas.

Este sería el momento del día en que, incluiríamos lácteos o huevos, si los tomas, o pescado en el caso de los que están haciendo la transición al vegetarianismo. Nota que digo lácteos "o" huevos "o" pescado, pero no los tres a la vez. Incluir los tres a la vez sobrecargaría nuestra alimentación y produciría digestiones complejas y aumento de peso. No debe hacerse más que como excepción.

Y en verano o los días que tengas menos hambre, puedes optar por cenar fruta, con yogur o kéfir de cabra, mejor que de vaca, o leche de almendras, o la fruta sola. Evita cenar cereales con leche, porque los hidratos de carbono que se ingieren de noche, se transforman en grasa y se acumulan en nuestro organismo.

DIETA VEGETARIANA TIPO

EN AYUNAS

1 vaso de agua caliente con zumo de limón

1 té verde o rojo

1 ciruela seca que habremos dejado en remojo previamente la noche anterior. Tomar la ciruela y el agua del remojo.

DESAYUNO

OPCIÓN 1

1 cuenco grande con

- Media papaya grande en dados
- Dos puñados de copos de centeno o avena
- Canela y jengibre en polvo al gusto
- Una vez que esté todo mezclado, añadimos agua caliente.

OPCIÓN 2

1 cuenco grande con

- Moras, frambuesas, arándanos, fresas o cualquier fruto rojo silvestre.
- 1 cucharada sopera de sirope de ágave.
- Un puñado de uvas pasas remojadas en agua caliente con su agua.
- 1 cucharada sopera de tahini.
- 3 cucharadas soperas de avena o centeno en copos.
- Canela y jengibre en polvo al gusto
- Una vez que esté todo mezclado, añadimos agua caliente

OPCIÓN 3

1 cuenco grande con

- Añade un tercio del tamaño del cuenco de semillas chia.
- Añade leche de almendras o avellanas.
- Añade una pizca de sal marina, vainilla en polvo y canela.
- Déjalo reposar 2 horas o toda la noche.
- Después de este tiempo puedes añadirle frutos rojos (moras, arándanos), y endulzar con sirope de ágave.

OPCIÓN 4

Un batido de verduras y frutas de los que hemos visto en la página 23.

OPCIÓN 5

Receta versionada de la Crema Budwig de la Dra. Kousmine, que hemos visto en la página 25, o cualquiera de las recetas de desayuno de ejemplo que se proponen a partir de la página 22.

A MEDIA MAÑANA

- Algo de fruta, como una manzana o cualquier fruta de la estación, sin restricciones ni en cuanto a tipo de fruta ni en cuanto a cantidad; pero de un solo tipo, no mezclar frutas distintas entre sí.

- Media hora más tarde, si se sigue con hambre: Trufas crudiveganas (ver la receta en pág. 29) o galletas crudiveganas (pág. 73)

COMIDA PARA LOS MESES DE BUEN TIEMPO

Cualquiera de los platos del recetario de recetas crudiveganas que se adjunta a continuación (pág. 44). Sin límite de cantidad, variando cada día de receta.

Si eliges una crema o sopa, tomar siempre con un picadillo por encima de:

- Hojas verdes al gusto (espinacas, lechuga, rucola, canónigos, mezclum, endibias, elegir uno cada día) y

- Alguno de los ingredientes que lleva la crema triturados, por ejemplo, si la crema es salmorejo, picar por encima tomate en daditos; si es crema de pimientos, un poco de pimiento rojo crudo en dados, etc.

Ejemplo:

CREMA DE ESPINACAS CON TROPEZONES

Mezclar con la batidora los siguientes ingredientes hasta conseguir una textura suave:
1 aguacate, un buen puñado de espinacas frescas, media lima y 1 vaso de agua. Rectificar de sal.

Hacer un picadillo con espinacas, tomate, champiñones, apio y pepino y disponer por encima de la crema de espinacas.

RECETAS CRUDIVEGANAS

FETUCCINI MARINARA

1 calabacín cortado en tiras como los fettuccini, con ayuda de un pelador de patatas.
La salsa marinara se prepara triturando los siguientes ingredientes:
2 tomates
Unas hojas de albahaca fresca
Un trozo de pimiento rojo
Una cucharada de orégano seco
1 dátil deshuesado
1 diente de ajo
2 cucharadas soperas de aceite de oliva virgen de 1ª presión en frío
Media cebolla
5 tomates secos
Sal marina
Unas gotas de zumo de limón

Dispón en una fuente los fettuccini de calabacín y aliña con la salsa marinara por encima.

ENSALADA DE DELICIAS

Pica en juliana y mezcla todo en una ensaladera:
1 pimiento rojo
1 zanahoria
1 calabacín
1 remolacha
2 cucharadas soperas de nueces
1 manzana verde
Hojas de menta y de albahaca fresca

Aliña con:

2 cucharadas soperas de mostaza de Dijon

2 cucharadas soperas de sirope de ágave

1 cucharada sopera de vinagre de umeboshi

1 cucharada sopera de aceite de oliva virgen de 1ª presión en frío.

ENDIBIAS RELLENAS DE PATÉ DE ZANAHORIA Y CÚRCUMA

Para el paté:

3 zanahorias

1 cucharada sopera de cúrcuma

1 trozo de jengibre fresco de 1 cm aproximadamente

1 diente de ajo

1 aguacate

Resto de ingredientes:

Unas endibias

Berros

Romero

Pepino

Sal marina

Aceite de oliva de 1ª presión en frío

Tritura las zanahorias con la cúrcuma, el jengibre y el ajo.

Mezcla con el aguacate y rellenar las endibias con la mezcla. Corona con una ramita de romero sobre cada endibia rellena.

Dispón las endibias sobre una cama de berros.

Añade como guarnición unas rodajas finas de pepino.

Rocía con sal marina y un hilito de aceite de oliva sobre el conjunto.

SALMOREJO

50 g de semillas de girasol remojadas previamente o de piñones crudos
200 g de tomates cereza muy rojos
50 g de albahaca fresca
1 diente de ajo
Sal marina
Vinagre de umeboshi al gusto
Aceite de oliva virgen de 1ª presión en frío

Tritura todo junto menos el aceite con la ayuda de la batidora o thermomix.
Ajusta la consistencia con agua.
Emulsiona con el aceite de oliva incorporándolo en un hilo fino mientras no se
deja de batir. Se sirve muy frío.

SOPA DE MELÓN

Medio melón
Media cucharadita de canela en polvo
Media cucharadita de nuez moscada en polvo
Media cucharadita de cúrcuma
Una ramita de tomillo

Mezcla todos los ingredientes excepto el tomillo con ayuda de la batidora o
thermomix.
Adorna con la ramita de tomillo.
Mantén frío hasta el momento de servir. Si lo deseas, lo puedes servir sobre la
cáscara del medio melón.

RAVIOLI DE CALABACÍN

Utiliza la mandolina para cortar finísimas lonchas de calabacín, todo a lo largo. Rellénalas con zanahoria cruda rallada y enróllalas sobre sí mismas, formando una especie de canelones o ravioli. Pon medio tomate cereza sobre cada ravioli, y aliña con unas gotas de mostaza.

ENSALADA DE AGUACATE

1 aguacate
Media zanahoria
1 tomate
Escarola al gusto
Semillas de girasol remojadas previamente
El zumo de un limón o una lima
2 cucharadas soperas de aceite de oliva virgen de 1ª presión en frío
Sal marina

Pica el aguacate, el tomate y la escarola. Ralla la zanahoria y mezcla con todos los demás ingredientes en una ensaladera.

FIDEUÁ CON ALIOLI (ENSALADA DE ALGAS)

Alga hiziki remojada toda la noche y escurrida

Zanahoria rallada
Calabacín en dados
Cebolla picada
Tomate seco picado
Pimiento rojo picado
Apio en dados
Perejil fresco picado
Sal marina
Aceite de oliva virgen de 1ª presión en frío

Alioli:
Aceite de oliva
Sal marina
Limón
Ajo
Anacardo remojado toda la noche y escurrido

Mezcla todos los ingredientes y añade el alioli por encima.
Adorna con aceite de oliva, pimentón y unas hojas de perejil fresco picado.

ESPAGUETTI PESTO

Para la salsa pesto, tritura con batidora o thermomix:
Hojas de albahaca fresca en abundancia
Un puñado de piñones crudos
2 dientes de ajo
5 cucharadas soperas de aceite de oliva virgen de 1ª presión en frío
1 cucharadita de sal marina

Para la pasta:
1 calabacín
Unos tomatitos cherry
Albahaca seca picada
Un chorrito de aceite de oliva
Pimienta negra recién molida

Corta el calabacín en cintas de pasta, con la ayuda de un pelador de patatas. Añade el pesto por encima, decora con tomatitos cherry cortados a la mitad y albahaca seca picada.
Añade un chorrito de aceite de oliva virgen y un poco de pimienta negra recién molida.

ESPAGUETTI BOLOÑESA

Corta el calabacín en cintas de pasta, con la ayuda de un pelador de patatas o un spirooli slicer (puedes comprarlo en http://www.ukjuicers.com/lurch-lafer-spirali)

Para la boloñesa o pesto rojo:

50 g de tomates secos rehidratados en agua caliente durante 15 minutos
1 diente de ajo
25 g de piñones crudos
2 cucharadas soperas de aceite de oliva virgen de 1ª presión en frío
Unas hojas de albahaca fresca
Pimienta negra recién molida
Sal marina al gusto
Brotes de alfalfa para decorar

Mezcla todos los ingredientes (excepto la alfalfa) con la batidora o thermomix. Queda un color y una textura que recuerdan a la sobrasada; además el sabor de los tomates secos se acerca ligeramente al del embutido, pudiendo recordar hasta el sabor del jamón serrano. Es ideal como acompañamiento de hortalizas en general, endibias o falsa pasta de calabacín; así como para untar en crackers de pan crudo.

PISTO MANCHEGO

Pica en juliana: 3 champiñones, 1 calabacín y 1 pimiento rojo

Aparte, haz una pasta y aliña con:
2 tomates
1 aguacate
1 zanahoria
Un trozo de apio
2 dátiles
Media cebolla roja
1 cucharada de aceite de oliva de 1ª presión en frío
1 cucharada de salsa de soja
1 diente de ajo

GAZPACHO

4 tomates pelados
1 pepino
Medio diente de ajo
Media cebolla roja
Aceite de oliva virgen de 1ª presión en frío
Vinagre de umeboshi
Sal marina

Tritura todo junto con ayuda de la batidora o thermomix.

CREMA DE AGUACATE

Tritura los siguientes ingredientes, añadiendo más o menos agua hasta
conseguir la consistencia de crema o de sopa:

1 aguacate
Medio diente de ajo
Media cebolla roja
1 tomate
Una pizca de jengibre fresco
Sal marina
Pimienta
Zumo de lima o de limón
1 cucharada de aceite de oliva

SOPA DE MISO

50 g de shiitake
6 champiñones
Medio pimiento rojo
2 cucharadas soperas de perejil fresco
2 cucharadas soperas de mantequilla de almendras
1 cucharada sopera de miso no pasteurizado

Tritura todo junto con la ayuda de la batidora y añadir agua templada al gusto
(unos 400 ml).

CALIFORNIA NORI ROLL

1 aguacate
Zanahoria en tiras
Pimiento rojo en tiras
Alfalfa germinada
Hojas de lechuga
Alga nori en láminas
Una esterilla para enrollar

Dispón el alga nori sobre la esterilla, rellénala, primero con la hoja de lechuga, después con el aguacate y después con las tiras de zanahoria, pimiento rojo y los germinados de alfalfa. Enrollar, cortar y servir.

AJO BLANCO

50 g de almendras remojadas 4 horas y escurridas
1 diente de ajo
3 cucharadas soperas de aceite de oliva de 1ª presión
1 cucharada de vinagre de umeboshi
Sal marina

Triturar todo junto con la ayuda de la batidora y añade agua fría al gusto (unos 400 ml) hasta lograr la consistencia deseada.

CREMA DE ESPINACAS

50 g de almendras remojadas 4 horas y escurridas
Apio
Espinacas frescas
1 cucharada sopera de miso blanco sin pasteurizar
1 cucharada sopera de aceite de oliva virgen
1 diente de ajo
Una pizca de cayena
10 aceitunas negras desecadas
El zumo de una lima o un limón

Tritura todo junto con la ayuda de la batidora y añade agua templada al gusto hasta lograr la consistencia deseada.

SOPA DE TOMATE

3 tomates
50 g de semillas de girasol remojadas 4 h, escurridas
Medio calabacín
1 cucharada de sirope de ágave o 1 dátil deshuesado
Media cebolla
Sal marina atlántica al gusto

Tritura todo junto con la ayuda de la batidora y añade agua templada al gusto hasta lograr la consistencia deseada.

SOPA DE PIMIENTO ROJO

Tritura todo junto con la ayuda de la batidora y añade agua templada al gusto hasta lograr la consistencia deseada:

1 aguacate
1 pimiento rojo
1 calabacín
Medio diente de ajo
Media cebolla roja
Un poco de jengibre
Un rabanito
Unos arbolitos de brócoli
Un poco de apio
Zumo de lima o limón
Una tira de alga dulce
Sal marina
Aceite de oliva de 1ª presión en frío

Decora con perejil fresco picado y unos trocitos de pimiento rojo picado.

AGUACATES RELLENOS

Vacía la pulpa de dos aguacates reservando las cáscaras, y mézclala con:
2 tomates pelados y picados
Media cebolla picada
Una tira de apio picada
Berros en juliana
Unos trozos de pimiento rojo y pimiento amarillo picados
Zumo de lima o de limón

Rellena la cáscara de los aguacates con la mezcla anterior.
Y decora con unas tiras de alga dulce, germinados de alfalfa y unas hojas de endibias.

TOMATES RELLENOS DE PESTO DE PISTACHOS

Toma un tomate fresco redondito de piel fuerte. Córtale la chapela y vacíalo de su pulpa. Tritura todos los ingredientes del pesto en la batidora:

50 g de pistachos
30 g de albahaca
3 cucharadas de aceite de oliva
El zumo de medio limón
Una pizca de ajo
Sal marina

Rellena el tomate y ponle la chapela.

GAZPACHO DE FRESONES

1 kilo de fresones
1 pepino
Media cebolla
1 diente de ajo
Vinagre de umeboshi al gusto
Un chorrito de aceite de oliva virgen de 1ª presión en frío
Sal marina

Mezcla todos los ingredientes excepto el aceite con ayuda de la batidora.
Añade poco a poco el aceite mientras se continúa batiendo.
Se sirve frío, decorando con un hilo de aceite de oliva por encima.

SORBETE DE MANGO

Un puñado de tiras de mango desecado (importante que no lleven azufre, ni azúcar o aceite de girasol), remojadas en agua.
Una pizca de sal marina.
Medio limón pelado.
Cubitos de hielo, formados con el agua de remojo del mango.
Cubitos de hielo habituales en gran cantidad.
Una batidora muy potente, estilo batidora de vaso, thermomix o vitamix.

Por la mañana pon en remojo el mango en agua filtrada. Déjalo todo el día.
A media tarde, escurre el agua y forma con ella cubitos de hielo. Reserva el mango.
A la hora de comer el sorbete, pon el mango rehidratado, los cubitos de hielo de mango, cubitos de hielo normales (como 4-5 veces más hielo que mango), el medio limón picado y la pizca de sal marina en la batidora de vaso, thermomix o vitamix.
Bátelo a toda potencia hasta formar el sorbete. Hay que hacerlo en el momento, porque se derrite enseguida.
Si sobra se puede volver a congelar, pero recomiendo hacerlo en forma de bolas porque si no se convierte de nuevo en un bloque de hielo. Es dulce y muy ligero y digestivo, ideal para coronar una comida/cena copiosa. Además se prepara en menos de 1 minuto.

SORBETE DE FRUTOS ROJOS

Triturar futos rojos congelados y sirope de ágave al gusto. Servir inmediatamente.

COMIDA PARA LOS MESES MÁS FRÍOS DEL AÑO

LA TEORÍA DE LOS REYES Y LOS SIERVOS

Esta es la teoría que suelo exponer en consulta a mis pacientes. Se trata de una serie de sencillas directrices para aprender a combinar correctamente los alimentos y así no sobrecargar la alimentación diaria. Uno puede ser vegetariano de muchas formas: Simplemente eliminando de su dieta la carne y el pescado ya se es, teóricamente, vegetariano. Pero la idea es que nos acostumbremos a tener una alimentación equilibrada. Y cuando digo equilibrada, no me refiero a que no falten nutrientes, aunque también. A lo que me refiero en realidad es a que no sobren nutrientes.

Hoy en día nos sobra de todo y seguimos pensando en términos carenciales. Por ello sobrecargamos la alimentación y tenemos malas digestiones, cuando menos, y sobrepeso, colesterol, azúcar y ácido úrico, cuando más. En los años que llevo pasando consulta de nutrición, no me he encontrado con nadie que tuviera carencias más allá de un hierro un poco bajo o un caso raro de hipovitaminosis D. Sin embargo, me he encontrado con frecuencia con muchas personas que sufrían por causa de los excesos en la dieta.

En un reino, sólo puede haber un rey, no más de uno, porque entonces se produciría una guerra civil.

Sin embargo, el rey necesita muchos siervos a su alrededor. Digamos que el rey, que es muy majestuoso, puede ocupar el 25% del reino, y los siervos ocuparían el 75% restante.

Bien, pues nuestro plato de comida es nuestro reino. No debemos poner en él más de un rey, para evitar un exceso en la alimentación (una guerra civil con malas digestiones y parámetros en sangre elevados). Sin embargo, al rey lo debemos acompañar bien de sus siervos.

Lo que necesitamos es saber qué alimentos son reyes y qué alimentos son siervos.

ALIMENTOS SIERVOS

Estos se incluirán en todas las comidas de forma abundante y variada. Puedes elegir uno de ellos o varios.

- Todo tipo de verduras: todas las verduras de hoja verde como espinacas, acelgas, berza... y las coles: coles de Bruselas, coliflor, brócoli, repollo...
- Todo tipo de hortalizas: Calabacín, calabaza, tomate, pimientos, remolacha, apio, ajos, cebolla, berenjena, hinojo, puerro,...
- Todo tipo de ensaladas: Lechuga, canónigos, berros, lollo rosso, escarola, rucula, endibias...
- Todo tipo de hierbas: Albahaca, menta, perejil, eneldo, cebollino, orégano, salvia, tomillo...
- Todo tipo de especias: Canela, vainilla, pimienta, cardamomo, cúrcuma, jengibre, comino...
- Todas las algas: agar agar, kombu, dulse, arame, hiziki, espagueti de mar...
- El nabo japonés daikon.
- Los aceites vegetales de semillas: oliva, girasol, lino, pepitas de uva, sésamo...
- La margarina vegetal no hidrogenada.
- El miso o pasta de soja fermentada.
- Las aceitunas verdes o negras.
- La leche vegetal de avena, almendras o avellanas.
- El cacao puro en polvo.
- Los endulzantes sanos como los siropes de ágave o arce, la stevia, las melazas y la miel.
- La manzana, la piña y la papaya.
- El vino tinto.

ALIMENTOS REYES

Elegir sólo uno o ninguno de estos, y en la proporción de un 25% de la cantidad total que se coma, sumando reyes y siervos. Nota que no recomiendo todos los que aquí se dan cita, pero los incluyo a efectos de clasificación.

- La carne y el embutido
- El pescado y el marisco
- Huevos
- Lácteos: leche, queso, nata, mantequilla, helados.

Los dos primeros no son vegetarianos, pero los incluyo aquí a efectos de completar la clasificación.

Los dos siguientes no son veganos, y se incluyen por lo mismo.

- Cereales: Trigo y derivados (pan, pasta, cuscús, bulgur, seitán, galletas, bizcochos, crackers); espelta; centeno; avena; mijo; maíz; kamut; quínoa; arroz...
- Legumbres: Soja y derivados (tofu, tempeh, salsa de soja, brotes de soja); garbanzos; lentejas; judías blancas, pintas y azuki...
- Frutos secos: Almendras, nueces, pecanas, macadamias, anacardos, avellanas, pistachos, piñones...
- Semillas: De lino, de girasol, de amapola, chia, de sésamo, de cáñamo...
- Fruta desecada: Dátiles, ciruelas desecadas, orejones, pasas, arándanos secos,...
- Patata.
- Aguacate.
- Setas.
- Fruta fresca y zumos de frutas.

EJEMPLOS

Así, por ejemplo, los siguientes son platos ideales para la hora de comer en invierno:

- Calabaza salteada con arroz integral y algas.
- Consomé de calabaza y miso.
- Curry de calabaza y leche de coco.
- Hamburguesas de calabaza, garbanzos y zanahoria.
- Quínoa con calabacín, cebolla y pimiento rojo.
- Espinacas con pasas "o" piñones.
- Acelgas con garbanzos y pimentón.
- Paella de verduras.
- Lentejas con verduras y algas.
- Repollo con puré de patata.
- Sandwich de verduras asadas a la parrilla (...)

De postre se puede tomar un vaso de leche de almendras con cacao y sirope de ágave.

Los siguientes serían platos típicos que no cumplirían la teoría de los reyes y los siervos:

- Tortilla de patatas.
- Bocadillo de queso.
- Maki japonés (lleva arroz y pescado), que tampoco sería estrictamente vegetariano.

De los ingredientes anteriores, recomiendo evitar carne, embutido, pescado y marisco, si se desea comer vegetariano.

La persona que quiera comer vegetariano estricto, es decir, vegano, excluirá de su alimentación también los huevos, los lácteos y sus derivados, y la miel.

Aparte de todo esto, mi recomendación personal, es que se trate de evitar el trigo, el azúcar y la soja. Estos tres alimentos, si bien sí son vegetarianos, son alimentos acidificantes y que producen moco. Más adelante, hablaremos sobre el equilibrio ácido-base en la alimentación.

RECETAS VEGETARIANAS CON 1 REY Y VARIOS SIERVOS

CALABAZA SALTEADA CON ARROZ INTEGRAL Y ALGAS

Cuece arroz integral y calabaza por separado.
Mientras, remoja un puñado de algas hiziki en agua.

Cuando el arroz esté cocido y la calabaza al dente, saltéalos en aceite de oliva virgen, junto con las algas escurridas. Salpimentar.
Reserva el agua de haber remojado las algas. Este agua sirve para cocer arroz o como consomé, si se le añade miso.

CONSOMÉ DE CALABAZA Y MISO

Cuece una gran montaña de calabaza en dados, dentro de una olla con un dedo de agua, tapada, para elaborar las siguientes recetas. Reserva la calabaza. Con el líquido que queda en la cacerola, prepara un consomé, diluyendo una cucharadita de miso en cada tacita de consomé. El miso no debe hervir, se condimentará en la tacita de consomé directamente.

CURRY DE CALABAZA Y LECHE DE COCO

Haz un sofrito de ajo y cebolla en aceite de oliva. Añade sal marina para que la cebolla sude. Reserva un poco de este sofrito para la receta siguiente.

Cuando la cebolla esté transparente, añade cayena y curry al gusto, y tuéstalos bien.

Añade parte de los dados de calabaza que ya tenías cocidos de la receta anterior (reserva parte para la receta siguiente) y leche de coco. Cocina todo junto a fuego lento durante unos minutos. Pruébalo y rectifica de sal.

HAMBURGUESAS DE CALABAZA, GARBANZOS Y ZANAHORIA

Machaca juntos con el tenedor:

El sofrito y la calabaza cocida que teníamos reservados de las dos recetas anteriores.
Garbanzos cocidos.
Zanahoria cruda rallada.
Sal marina al gusto.
Un poco de harina de garbanzo para formar la masa (poca, no importa que la masa quede muy suave).

Humedécete las manos y forma las hamburguesas. Fríelas en aceite de oliva caliente, sin mover ni dar la vuelta a las hamburguesas hasta que hayan formado costra por abajo, de los contrario, se romperían. Cuando se doren, escúrrelas en papel absorbente antes de freír.

LOMBARDA CON PURÉ DE PATATA O DE MANZANA

Pica la lombarda en juliana y cuécela al vapor. Aliña en crudo con sal marina atlántica, pimienta negra molida y aceite de oliva virgen de primera presión en frío.

PURÉ DE PATATA DE GUARNICIÓN

Para el puré de patata, cuece las patatas peladas. Una vez cocidas, aliña con sal marina, nuez moscada y pimienta recién molida; y tritura con un poco de agua de la cocción, así como un chorrito de aceite de oliva virgen extra.

PURÉ DE MANZANA DE GUARNICIÓN

Pela las manzanas, quítales el corazón y cuécelas en agua con un chorrito de zumo de limón. Una vez cocidas, escúrrelas y tritúralas con margarina vegetal no hidrogenada, sal marina y pimienta recién molida.

ESPINACAS CON SALSA PESTO

SALSA PESTO

Tritura bastamente hojas de albahaca frescas con piñones crudos y aceite de oliva virgen extra de primera presión en frío.

Añade sal marina atlántica al gusto.

Aliña las espinacas crudas con el pesto preparado anteriormente.

GARBANZOS GUISADOS

Remoja los garbanzos en agua caliente durante toda la noche.

A la mañana siguiente, pon en la olla rápida los siguientes ingredientes:

Los garbanzos escurridos y dentro de una red especial para cocinar, 1 cebolla partida en dos, 2 dientes de ajo, 2 tomates pelados y una hoja de laurel.

Añade agua y cocina todos los ingredientes juntos.

Cuando los garbanzos estén listos, saca la red y resérvalos.

Saca también la hoja de laurel, y tritura las verduras y el agua que se han cocinado juntas. Al puré resultante, añádele sal marina, comino y pimienta.

Añade los garbanzos y dales un suave hervor en la salsa durante un par de minutos.

Se sirve con perejil fresco picado por encima.

Este plato debe acompañarse de verdura al vapor, como acelgas, grelos, espinacas, coliflor, puerro, etc, para así cumplir los porcentajes de la teoría de los reyes y los siervos, donde el alimento rey debe ser el 25% y los siervos deben ocupar un 75% de nuestro plato de comida.

GUACAMOLE

2 aguacates
1 diente de ajo muy picado
Un trocito de cebolla muy bien picadita
1 tomate picado en pequeños daditos
Sal marina atlántica

Tritura todo junto con la ayuda de un tenedor.

Este plato debe acompañarse de una ensalada de hortalizas crudas variadas, como endibias, rúcola, espinacas, tomate, zanahoria, etc, para así cumplir los porcentajes de la teoría de los reyes y los siervos, donde el alimento rey debe ser el 25% y los siervos deben ocupar un 75% de nuestro plato de comida.

PATÉ SICILIANO

Machaca un gran puñado de tomates secos, rehidratados en agua, escurridos y secados, y conservados después en aceite de oliva de 1ª presión en frío, con:

Aceitunas negras
Ajo
Alcaparras
Levadura de cerveza
Sal marina atlántica

Puedes tomarlo sobre tostaditas de pan WASA 100% de centeno, o sobre vegetales, como endibias, pepino en barquitas, o pimientos, para rellenar tomates, sobre láminas de calabacín, sobre tostaditas de arroz integral hinchado, o de maíz, sobre láminas de zanahoria, etc.

NOTA: Si no te gustan las alcaparras puedes sustituirlas por albahaca y añadir un poco de wasabi para potenciar el sabor picante.

PATÉ DE ALCACHOFAS

Cuece unas alcachofas y tritúralas con tomate seco en aceite, romero fresco, un poco de cebolla, aceite de oliva, sal marina y zumo de limón.

Puedes tomarlo sobre tostaditas de pan WASA 100% de centeno, o sobre vegetales, como endibias, pepino en barquitas, o pimientos, para rellenar tomates, sobre láminas de calabacín, sobre tostaditas de arroz integral hinchado, o de maíz, sobre láminas de zanahoria, etc.

Pero además, como en este plato todo son siervos, puede combinarse correctamente con cualquier alimento rey, como arroz, lentejas, etc.

HUMUS DE PIMIENTO ROJO SOBRE ENDIBIAS

Haz una pasta con garbanzos cocidos, pimiento rojo, aceite de oliva, ajo, zumo de limón y sal marina. Con esta mezcla puedes rellenar endibias o cualquier vegetal (un tomate, un pimiento, etc). Espolvorea con pimentón, comino y perejil fresco picado.

ENSALADA DE APIO

Por un lado, pica en juliana las siguientes verduras y mézclalas entre si en un cuenco:

Apio
Zanahoria
Cebolla
Pimiento rojo
Remolacha

Por otro lado, prepara un aliño con:

Tahini
Mostaza de Dijon
Sirope de ágave
Aceite de oliva de 1ª presión en frío
Sal marina atlántica o miso no pasteurizado al gusto
Zumo de limón

Mezcla bien los ingredientes del aliño y añádeselo por encima a la ensalada de apio, zanahoria, cebolla, pimiento rojo y remolacha.

BONIATO ASADO CON COMINO

Hornea los boniatos en rodajas y sin pelar a 200º, añadiéndoles un chorrito de aceite de oliva por encima, hasta que estén dorados (unos 45 minutos).

Una vez fuera del horno, espolvoréalos con sal marina atlántica y comino en polvo. Si te gusta el picante, añade cayena.

En este plato todo son siervos. Puede combinarse correctamente con cualquier alimento rey.

QUÍNOA CON CALABACÍN, CEBOLLA Y PIMIENTO ROJO

Cuece la quínoa con calabacín, cebolla y pimiento rojo en dados, por espacio de 15 minutos, y con el doble de agua que de volumen de quínoa. Aliña con aceite de oliva y sal marina atlántica, o con pasta de miso.

ESPINACAS CON PASAS "O" PIÑONES

Saltea las espinacas frescas y las pasas o los piñones, directamente en un wok, con una cucharada de aceite de oliva virgen y sal marina atlántica al gusto.

ACELGAS CON GARBANZOS Y PIMENTÓN

Cuece las acelgas al vapor mientras cueces los garbanzos en agua en la parte de debajo de la vaporera.
Una vez cocido, alíñalo todo junto en crudo con aceite de oliva virgen y pimentón. Recuerda que las acelgas han de constituir el 75% del plato y los garbanzos el 25%.

PAELLA DE VERDURAS

250 g de arroz integral
200 g de judías verdes
150 g de alcachofas
2 pimientos verdes
2 pimientos rojos
10 dientes de ajo
Un puñado perejil
1 limón
Un fondito de aceite de oliva
Una pizca de sal marina
Una pizca de azafrán o cúrcuma

Asa los pimientos rojos, pélalos después de tenerlos cerrados herméticos en una bolsa de plástico -para que sea más fácil pelarlos-, córtalos en tiras y resérvalos.

Cuece las judías y las alcachofas, y si lo deseas añade una pastilla de caldo vegetal al agua.
Reserva verduras y caldo por separado.
Calcula el doble de arroz que de caldo, más un poquito más.
Fríe los ajos y resérvalos.
Fríe los pimientos verdes cortaditos pequeños en este aceite y, rehoga también las verduras que ya estaban cocidas al dente.
Añade los ajos, machacados con perejil y el arroz integral.
Rehógalo todo un poco. Rocía con el zumo del limón e incorpora el caldo de las verduras.
Dispón por encima los pimientos rojos de adorno. Introduce en el horno a 200 grados durante 20 minutos.
Deja reposar 5 minutos antes de servir.

LENTEJAS CON VERDURAS Y ALGAS

Sofríe una cebolla y un diente de ajo picados con aceite de oliva en una cacerola. Al poco añade un calabacín en dados, dos zanahorias en cubitos, un puñado de algas arame y otro de lentejas.

Maréalo todo bien y añade tomate natural triturado, una hoja de laurel y orégano.

Añade agua hasta cubrirlo y cuécelo durante 45 minutos. Rectifica de sal o añade miso fuera del fuego para condimentarlo.

SANDWICH DE VERDURAS ASALDAS A LA PARRILLA

Puedes utilizar restos de verduras que tengas en la nevera, como calabacín, berenjena, cebolla, tomate, pimientos, espárragos trigueros... Ásalos en la plancha con una gota de aceite de oliva y sal marina gruesa.

Después, prepara un sándwich con pan integral de centeno, y dispón sobre él una hoja de lechuga o cualquier hoja verde, para que el pan no se humedezca. Encima coloca las verduras asadas, un chorrito de aceite de oliva crudo, otra hoja de lechuga y la otra rebanada de pan integral.

ALIÑO BALSÁMICO PARA COMBINAR CON CUALQUIER ALIMENTO REY

Aceite de oliva virgen extra de primera presión en frío
Vinagre balsámico de Módena
Sirope de ágave
Zumo de limón
Sal marina atlántica
Pimienta negra recién molida

ARROZ CON ALGAS HIZIKI

Lava bien una taza de arroz integral y una cucharada sopera de algas hiziki, y deja ambos en remojo toda la noche.

Pon agua al fuego y lleva a ebullición.

Añade una zanahoria rallada, media cebolla, dos dientes de ajo muy picaditos, laurel y comino al gusto. Déjalo hervir 45 minutos a fuego lento. Rectifica de sal o añade miso fuera del fuego para condimentarlo.

SOPA DE MISO CON ALGA WAKAME

Remoja dos cucharadas soperas de nabo daikon seco durante 10 minutos. Escúrrelo y córtalo en trocitos.

Remoja una tira de alga wakame durante 15 minutos en caldo vegetal. Escurre y reserva el caldo.

Rehoga una cebolla y una zanahoria en aceite de oliva.

Cuando estén blandas añade el caldo vegetal, las algas y el daikon. Cocínalo durante 15 minutos.

Disuelve el miso aparte en un poco de caldo de la sopa y agrégalo a la misma.

Apaga el fuego. Añade un puerro fresco picado fino.

Tapa el recipiente y deja reposar 5 minutos, se sirve bien caliente.

CUADRADILLOS DE ALGA NORI REBOZADOS

Prepara una masa con dos cucharadas soperas de harina integral de maíz o de centeno, sal marina atlántica, una pizca de curry y un poco de agua con gas muy fría.

Sumerge cada cuadrado de nori en la pasta y fríelo en aceite caliente. Escúrrelo después sobre papel absorbente. Se sirve acompañado de un aliño para mojar, que se hace con dos cucharaditas de agua, una de jengibre en polvo y una cucharada sopera de miso.

SALTEADO DE ALGA ARAME CON CHAMPIÑONES

Pon en remojo dos cucharadas soperas de alga arame. Reservar.
Saltea un puñado de champiñones en juliana junto con un puerro, y añade unas
gotas de salsa de soja sin pasteurizar. Añade media zanahoria y un trozo de
pimiento rojo picados. A los diez minutos, añade las algas escurridas y sazona
con salsa de soja sin pasteurizar y jengibre en polvo.

ROLLITOS DE ESPAGUETI DE MAR

Utiliza la masa fresca de rollitos, que puede ser la pasta para rollos de
primavera hecha con harina de arroz que se vende en láminas secas en la
sección asiática de los supermercados.
Remoja durante 10 minutos unas tiras de alga espagueti de mar. Sala y saltea
media cebolla durante 10 minutos. Añade un trozo de pimiento rojo y media
zanahoria en juliana. A los 5 minutos añade el alga. Añade unas gotas de salsa
de soja sin pasteurizar. Deja evaporar todo el líquido y pásale la batidora si lo
deseas. Rellena los rollitos con esta mezcla, y fríelos en aceite caliente.

MERIENDA

Sólo si hay hambre. Puede tomarse fruta de la estación o una infusión de té verde con 2-3 dátiles naturales.

También puede tomarse un tentempié más elaborado, tanto a media mañana como a la hora de la merienda; dependerá del desgaste físico y del tiempo que vaya a transcurrir antes de la cena. Este tentempié puede consistir en unas trufas crudiveganas (pág. 29) o unas galletas como las siguientes:

GALLETAS CRUDIVEGANAS

2 puñados de almendras crudas molidas finamente hasta conseguir una harina fina.

2 puñados de manzanas deshidratadas picadas bastamente

1 puñado de orejones de albaricoques picados bastamente

1 puñado de pasas sin hueso

1 cucharada sopera de aceite de coco o de oliva

1 cucharada sopera de sirope de ágave

1 pizca de sal

1 cucharadita de canela en polvo

1 cucharadita de jengibre en polvo

La ralladura de un limón

Mezcla todos los ingredientes juntos y forma las galletas con las manos. Mantener en la nevera.

CENA

Elegir una diferente cada día: Sin límite de cantidad, variar cada día. Ver recetas a continuación.

- o Ensalada de algas hiziki (La fideuá crudivegana de la pág. 48).
- o Crema de verdura tipo (cada día con una verdura diferente, ver pág. 40).
- o Arroz integral con algas y tomate seco, pág. 75
- o Arroz integral con algas y calabacín, pág. 75
- o Hamburguesas de arroz integral, algas y calabacín, pág. 75
- o Hamburguesas de centeno, pág. 76
- o Papaya o piña.

Acompañar siempre de una abundante

- o Ensalada verde, con rúcola, canónigos, mezclum, endibias, lechugas variadas, espinacas... (elegir un ingrediente diferente cada día, que la ensalada no sea siempre igual).

- o Germinados de alfalfa, de rabanitos (...) (evitar de soja o de legumbres).

- o Aliñar con aceite de oliva y sal marina atlántica.

Los días que se quiera cenar menos, puede optarse simplemente por tomar una ensalada verde. En ese caso, añadiremos hortalizas crudas a la ensalada de hojas verdes y germinados, como por ejemplo tomate, pimiento rojo, remolacha, zanahoria, cebolla, espárragos trigueros, champiñones, rabanitos, etc.

RECETAS PARA LAS CENAS

ARROZ INTEGRAL CON ALGAS Y TOMATE SECO

Pon en remojo un puñado de algas variadas: Hiziki, arame, dulse, wakame, agar agar...; una cucharada sopera de nabo japonés daikon deshidratado; y tres o cuatro tomates secos durante unas 2 horas. Escurre y cocina el arroz integral en ese agua.
Prepara una ensalada con las algas, los tomates secos y el daikon rehidratados y picados. Añade las hojas verdes.
Añade también el arroz cocido.

Aliña en crudo con sal marina, pimienta, jengibre en polvo, aceite de oliva virgen y acceto balsámico. Mezcla bien antes de servir.

ARROZ INTEGRAL CON ALGAS Y CALABACÍN

Cocina el arroz que sobra de la receta anterior, al día siguiente, con algunas de las algas remojadas y con cebolla y calabacín. Añade más sal marina y pimienta.

HAMBURGUESAS DE ARROZ INTEGRAL, ALGAS Y CALABACÍN

Con los restos de lo anterior (ver las dos recetas anteriores), ya el tercer día, forma hamburguesas utilizando un molde redondo. Hornea unos minutos por cada lado hasta que se doren.

HAMBURGUESAS DE CENTENO O AVENA

Avena o centeno en copos
Zanahoria
Cebolla
Pimiento rojo
Harina integral de centeno o avena
Sal marina atlántica
Aceite de oliva

Remoja el centeno o la avena en copos durante 5 minutos. Escurre y reserva.
Ralla una zanahoria, una cebolla y pica un pimiento rojo muy fino.
Mezcla todos los ingredientes, añadiendo harina integral de centeno o avena
hasta obtener la consistencia deseada.
Condimenta con salsa de soja.
Humedécete las manos y forma hamburguesas. Si no las tienes húmedas, la
masa se te quedará pegada a las manos.
Pásalas por la sartén con una gota de aceite de oliva, y espera a darles la vuelta
hasta que se haya formado una costrita en la base; de lo contrario se
romperían.

EL EQUILIBRIO ÁCIDO-BASE

Una alimentación bien planificada incluye aminoácidos, para que el organismo forme sus propias proteínas; hidratos de carbono, preferentemente de absorción lenta a rápida; grasas, preferentemente no saturadas; minerales y oligoelementos; y vitaminas y enzimas.

Hoy en día, vivimos en una época de superabundancia. No es raro que en una casa haya más de una televisión o más de un ordenador; y en nuestros cajones acumulamos teléfonos móviles antiguos, que hemos sustituido por otros más modernos aun cuando los primeros funcionaban perfectamente.

Con la alimentación ocurre igual. Habitualmente estamos pensando en lo que nos va a faltar, en qué nutrientes necesitamos para estar bien alimentados: Que si calcio, que si omega 3, que si hierro... Y así sobrecargamos nuestra alimentación y enfermamos, sobre todo porque normalmente de lo que solemos preocuparnos es sólo de las proteínas, que si son de origen animal vienen acompañadas de grasas saturadas.

Hace poco en consulta me preguntó una persona qué complementos alimenticios tomaba yo para estar sana. Le extrañó mucho que le respondí que, para estar sana, lo que hacía era todo lo contrario: Comer sencillo, ayunar de vez en cuando y desintoxicar el organismo a través de la hidroterapia de colon.

Una persona puede presentar anemia a pesar de consumir con frecuencia carne roja, que se supone que es de los alimentos más ricos en hierro. Puede ocurrir que dicha persona tome mucho queso o leche de vaca enriquecida con calcio, es decir grandes cantidades de calcio unido a proteína animal. El exceso de este tipo de calcio inhibe la absorción del hierro. ¿Sorprendido?

Por eso, la alimentación debe ser sencilla y equilibrada.

En una dieta sencilla, sana, los alimentos deben ser lo más frescos y naturales posibles, es decir, hemos de alimentarnos de materias primas que lleven el menor tipo de tratamiento. En lugar de comprar alimentos ya procesados, por muy vegetarianos que sean, hemos de procesar las materias primas nosotros, ayudándonos de las herramientas que la vida moderna pone al alcance de todos: Ollas rápidas de acero inoxidable que no calientan los alimentos por encima de los 100 grados, un buen robot de cocina, etc. Sin olvidarnos de que, en la dieta diaria, un elevado porcentaje de alimentos debe ser consumido crudo.

Por otro lado, en una dieta equilibrada, las proporciones de nutrientes deben ser las adecuadas:

MACRONUTRIENTES

En cuanto a macronutrientes, que son las proteínas, los hidratos de carbono y las grasas, necesitamos una cantidad de un 10-15%, 55-60% y un 30-35%, respectivamente. En la alimentación actual, se consumen muchas más proteínas de las necesarias, que en los casos en que son de procedencia animal van asociadas a grasas saturadas, aumentando también así el nivel de grasas en la dieta. Grasas, que como decía, son saturadas, del tipo que menos se debe consumir. El escaso porcentaje que corresponde a los hidratos de carbono, normalmente se cubre con alimentos ricos en azúcares de absorción rápida, que son todos los alimentos refinados (trigo blanco, arroz blanco, azúcar blanca) y las frutas.

MICRONUTRIENTES

Los micronutrientes, que son los minerales y oligoelementos, y las vitaminas y las enzimas, han de consumirse en menor cantidad, pero no por ello son menos importantes o se puede prescindir de ellos.

VITAMINAS Y ENZIMAS

- En cuanto a las vitaminas y las enzimas, hay que tener presente que son elementos termosensibles y que se destruyen con el calor. Aquí es donde reside la principal razón para consumir alimentos crudos.

Aunque en invierno los alimentos crudos apetecen menos que en verano, existen muchos alimentos de la estación fría, que son ricos en vitaminas y enzimas, y que resulta sencillo consumir, como el ajo, el apio, los berros, la cebolla, los champiñones, la endibia, la granada, la lechuga de hoja de roble, el limón, la mandarina, la remolacha, el rábano o la zanahoria... La naranja debe evitarse porque es una fruta que sobrecarga el hígado y que además es ligeramente acidificante.

MINERALES

- En cuanto a los minerales, el secreto a voces no es ingerir complementos dietéticos o atiborrarnos de medicamentos de síntesis, pues los minerales establecen una sinergia entre sí, y su ingesta aislada no produce el mismo resultado que si se toman como la naturaleza los presenta, dentro de los alimentos, y en combinación con otros minerales y vitaminas.

Otro dato importante a tener en cuenta es no tomar alimentos que desmineralicen. Y estos alimentos son los que acidifican la sangre. Sabemos si la sangre se encuentra en estado de acidosis cuando su ph es superior a 7,2. En este caso, el organismo reacciona con su sistema tampón para alcalinizar el ph, recurriendo a la reserva alcalina de huesos, dientes, tejidos y humores. Dicho de un modo más sencillo, un organismo acidificado presenta déficit de minerales, como por ejemplo, el calcio.

ACIDOSIS Y ALCALOSIS

Las consecuencias de una acidosis son la desmineralización, y eso se observa en la piel, que aparece reseca, enrojecida y sensible; la acumulación de sustancias tóxicas en forma de depósitos en el organismo, por ejemplo cálculos biliares o urinarios; los dolores de articulaciones y huesos; y la disminución de las defensas, con consecuencias como infecciones repetitivas y que tardan en curarse.

El proceso de metabolización de las proteínas animales, presentes en carnes, embutido, pescado, huevos y lácteos y derivados, conlleva una serie de residuos metabólicos de índole ácida: Ácido úrico, ácido láctico y purinas.

El riñón se verá sobrecargado para eliminar los residuos de ácido úrico, que también se eliminarán por la piel (de ahí el fuerte olor corporal de las personas que se alimentan de forma muy carnívora), cuyos poros deberán estar correctamente desbloqueados, y no taponados con el uso de geles y cremas artificiales, en cuya elaboración están presentes ingredientes derivados del petróleo.

Pero al acentuarse la acidificación del cuerpo, y verse sobrecargados sus órganos, éstos pueden perder eficacia en su función de eliminación. Así, el organismo que es muy sabio, acumula los tóxicos en los tejidos, para eliminarlos de la sangre, previendo poderlos desechar más adelante. Es como cuando barremos la casa y antes de recoger la basura, vamos haciendo montoncitos.

El problema es que dichos montoncitos se acumulan en zonas del cuerpo donde también producen molestias, como los cálculos que ya mencionábamos antes, o dolores y deformidades de los huesos en la artritis, la artrosis y el reuma. Otras consecuencias son el asma, las alergias, los eccemas, la urticaria, la hepatitis, la arteriosclerosis, la desmineralización de los huesos, los dolores en general, el dolor de cabeza, el insomnio, etc.

En un estado de acidosis es normal que una persona tenga el ánimo bajo y se sienta como en depresión, agotada, triste y ansiosa. Una persona con una depresión agravará su malestar anímico si sigue una alimentación desvitalizada que le produzca un estado de acidosis. En consulta, me encuentro muchas personas que pierden el interés en cocinar o en cuidarse cuando están pasando por lo que denominamos una "mala racha". Esto, que es muy común y muy humano, no hace más que agravar el problema inicial, es decir, que el síntoma retroalimenta la causa.

Hay alimentos que son ácidos pero no acidifican el organismo. Por ejemplo, el limón es un potente alcalinizador, aunque su sabor sea ácido. El azúcar, en cambio, sabe dulce, pero es de los alimentos más acidificantes que hay.

La carne también es uno de los alimentos más acidificantes, además de los huevos, los quesos, las legumbres, los cereales refinados, el azúcar, el café, el té negro y el cacao.

Si uno consume suficientes alimentos alcalinizantes, como frutas y verduras, alrededor de un 85% de su dieta, y muchos de ellos crudos, puede consumir de vez en cuando alimentos acidificantes sin temor a desequilibrar su ph (no más de un 15%). La idea es que la proporción de los alimentos alcalinizantes sea muy superior a la de los acidificantes, y que dentro de los alimentos alcalinizantes, se consuma una gran cantidad de ellos en crudo; lo que a la vez nos lleva a la proporción ideal entre macro y micronutrientes.

Pero también la tensión excesiva, la falta de oxigenación por pasar tiempo en ambientes cerrados y/o contaminados, y el sedentarismo, acidifican la sangre. Otra de las razones de la acidificación es un consumo exagerado de alimentos, es decir, comer en exceso.

ALIMENTOS EN CUYA DIGESTIÓN SE PRODUCEN SUSTANCIAS ALCALINAS

Para alcalinizar el organismo, se puede recurrir a consumir predominantemente los alimentos que son especialmente alcalinizantes, si es posible de cultivo natural y ecológico, como son:

- Frutas: Aceitunas, aguacate, arándanos, cereza, dátil, frambuesa, fresa, granada, grosella, higo, higo seco, limón, mandarina, mango, manzana, manzana seca, melocotón, melón, mora, nectarina, papaya, pera, piña, plátano, pomelo, sandía, tomate, uva, uva pasa.
- Verduras: Achicoria, ajo, apio, batata, berenjena, berro, berza, brócoli, calabacín, calabaza, canónigo, cardo, cebolla, cebolleta, champiñón, chirivía, col, coliflor, colinabo, diente de león, endibia, escarola, espinaca, lechuga, nabo, orégano, patata, pepinillo, pepino, perejil, pimiento, rábano, remolacha, repollo, romero, tomillo, zanahoria.
- Las algas en general.
- Cereales: Son ligeramente acidificantes, siendo muy neutro el arroz integral y el trigo sarraceno, que no es trigo ni cereal, sino que botánicamente es una semilla. En la digestión de la cebada integral, se producen sustancias alcalinas.
- Lácteos: Yogur, cuajada y quesos frescos y poco elaborados.

Es importante cocinar las verduras al vapor, y no en agua; pues se ha comprobado que se pierden más de la mitad de los minerales y casi el 100% de las vitaminas, que quedan diluidos en el agua de cocción que se desecha. Por otra parte, para tal fin, nunca utilizaremos recipientes de aluminio.

También hay que tener en cuenta que la fruta madurada de forma artificial, pierde sus propiedades alcalinizantes.

OTROS REMEDIOS ALCALINIZANTES

- Tomar al día un litro y medio de infusión de las siguientes hierbas: Bardana, diente de león, ortiga y té verde.
- Terapia depurativa con zumos de verduras y frutas. Los zumos de frutas sin verduras no son aconsejables, pues el elevado contenido del azúcar de la fruta, separado de la fibra, dispara el índice de glucosa en sangre. Esto produce un desgaste de órganos como el páncreas, que se ve obligado a realizar un esfuerzo extra de secreción de insulina para neutralizar la cantidad de azúcar en sangre. El ayuno con zumos de verduras y frutas ayuda a eliminar los residuos ácidos del organismo.
- Tomar antes de las comidas un caldo depurativo realizado con cebolla y apio, y aliñado con zumo de limón y perejil. Este caldo puede ser condimentando con miso (pasta de soja fermentada), que no debe estar pasteurizado ni hervir o calentarse, para que sus fermentos permanezcan activos.
- Beber agua bicarbonatada. Esta agua se prepara diluyendo media cucharadita de bicarbonato de sodio en un litro de agua. También se pueden alcalinizar los aceites refinados añadiendo bicarbonato de sodio a la botella de aceite y dejándolo reposar 24 horas antes de su consumo. Se evitará la ingesta del sedimento que se queda en el fondo de la botella de aceite, que no es más que la reacción del bicarbonato sobre los ácidos.
- Añadir una hoja de col blanca o una tira de alga kombu al agua de remojo y de cocción de las legumbres, huevos, pastas y verduras, especialmente acelgas, espinacas y remolacha. También puede prepararse un caldo con col blanca o con alga kombu, y condimentarse con miso y zumo de limón.

RECETAS VEGETARIANAS ALCALINIZANTES

ENSALADA WALDORF

En un cuenco mediano dispón una rama de apio blanco picada en rodajas; 3 manzanas fuji ralladas con su piel y rociadas con zumo de limón para que no se ennegrezcan; y un puñado de nueces picadas.

Salpimienta y añade 3 cucharadas soperas de mayonesa sin huevo, hecha con leche de soja en lugar de huevo.

Decora con zanahoria rallada y con una hoja de apio.

CREMA DE ZANAHORIA Y JENGIBRE

Ponemos un puerro y media cebolla en trozos grandes a sofreír en un poquito de aceite, añadimos 6 zanahorias grandes peladas y troceadas, un trozo de apio, y un trozo de jengibre entero dentro de una red para cocinar.

Cubrimos con caldo vegetal y cocinamos.

Una vez que las zanahorias están tiernas, sacamos la red con el jengibre, retiramos y reservamos un poco de líquido de la cocción, y trituramos. Vamos añadiendo líquido de la cocción si vemos que queda demasiado espeso.

Decoramos con un chorrito de nata vegetal, semillas de calabaza y unas gotas de aceite de oliva.

OTRAS RECETAS ALCALINIZANTES

Todas las recetas crudas que encontrarás desde la página 44.

¿MIEDO DE QUE TE FALTEN NUTRIENTES?

LA VITAMINA D Y LA VITAMINA B12

Con dos excepciones, todas las vitaminas se pueden recibir de las plantas. Por ello hay dos vitaminas que merecen especial atención.

La primera, la vitamina D, es una hormona. Es vital para el metabolismo del calcio y una deficiencia puede producir raquitismo en los niños. La fuente de la vitamina D más natural es la luz del sol sobre la piel, y como se acumula en el cuerpo, un tiempo razonable bajo el sol durante los meses del verano debe proveer bastante vitamina D para todo el invierno. Los niños que tienen la piel morena y los que viven en climas norteños o en regiones nubladas deben asegurarse de sus fuentes dietéticas de vitamina D.

Las fuentes animales de vitamina D son la leche y la yema de huevo.

Es importante para vegetarianos con baja exposición a la luz solar y posiblemente reducida síntesis dérmica, consumir alimentos reforzados con vitamina D tales como la leche, alternativas lácteas o margarina (siempre que sea no hidrogenada), enriquecida con vitamina D.

Los especialistas en nutrición recomiendan que no se ingiera más que lo recomendado de 400 I.U. para evitar la toxicidad.

La segunda, la vitamina B12, es esencial para el sistema nervioso y todas las funciones de las células. Una de las grandes preocupaciones para los que se inician en el veganismo, es su posible carencia. La vitamina B12 es necesaria para el rendimiento intelectual y la vitalidad. Actúa en la mejora de la concentración, de la memoria y alivia la irritabilidad. Es el más poderoso antianémico conocido, necesario para la obtención de energía de los carbohidratos.

Se requiere en cantidades microscópicas (menos de un millonésimo de un gramo al día). Y aunque antes se pensaba que se encontraba en algunos alimentos vegetales tales como las algas marinas, las setas y los productos de soja, unos exámenes más recientes demuestran que no son fuentes fiables, y que es posible que la B12 sólo esté presente en los productos vegetales especialmente fortificados. Por eso, los vegetarianos que no comen ni huevos ni productos lácteos necesitan asegurarse una fuente adecuada de la B12. La deficiencia, tras el tiempo, puede resultar en la degeneración de la médula espinal y en la muerte, aunque casi todos los casos de deficiencia de B12 son por mala absorción metabólica, y no el resultado de una dieta deficiente.

Producida por microorganismos que se encuentran en la tierra y por eso presentes en las superficies no lavadas de frutas y verduras, la B12 puede ser sintetizada por las bacterias de la boca y los intestinos, aunque es posible que esto no baste.

Los vegetarianos pueden obtenerla de los huevos y los productos lácteos.

Los veganos recientes pueden usar sus depósitos de B12 durante 3 años o más tiempo, excepto en el caso de niños y mujeres embarazadas. Y después consumir alimentos fortificados o un complejo de vitaminas del grupo B.

Deben tener especial cuidado de ingerir B12 en cantidad suficiente las personas celíacas, ancianos, personas que abusen del alcohol, personas que abusen del tabaco, personas que tomen fármacos anticolesterol, niños y embarazadas.

Nuestros niveles de B12 dependen de la cantidad ingerida a través de los alimentos, de cuánto se segrega y de cuánto se absorbe.

¿CÓMO OBTENER B12?

- Mediante un suplemento vegetal de vitamina B12. Nuestras necesidades de B12 no tienen nada que ver con nuestra "supuesta" necesidad de carne. La B12 de la carne o de la leche, es la misma que la de los suplementos vegetales o alimentos enriquecidos. Se recomienda a los veganos tomar de vez en cuando algún suplemento vegetal de vitamina B12; no siendo necesario para los ovo-lacto-vegetarianos. No existe toxicidad si uno se excede en la ingestión recomendada de B12.

- Mediante su ingestión en forma de alimentos vegetales el problema es que nuestro cuerpo a veces no es capaz de distinguir entre la vitamina B12 u otras sustancias análogas que en realidad no actúan como la B12, y que se encuentran en el alga espirulina, el alga nori, la levadura de cerveza, los brotes de alfalfa, las semillas de sésamo, en algunas aguas potables, los champiñones, el tempeh, el miso, los vegetales frescos del huerto orgánico, la coliflor y las espinacas, los cereales integrales, el germen de trigo, las judías de soja...
La cantidad de vitamina B12 de un alimento aumenta a medida que disminuye su nivel de higiene, pues así se favorece la presencia de bacterias productoras de vitamina B12.

- El mínimo requisito en la dieta diaria para sostener normalmente la vitamina B12 es sólo 0,1 mcg (0,0000001 g), de manera que la Cantidad Diaria Recomendada (CDR) de 2 mcg es sobregenerosa (esto es, permite un sustancial exceso de almacenamiento).

Sin embargo, se necesitan un estómago, páncreas e intestinos sanos para la absorción de la vitamina B12. La digestión y la absorción de la vitamina B12 de los alimentos requieren ácido gástrico, proteolisis y factor intrínseco gástrico.

Podemos tener deficiencia de B12 porque nuestro organismo no la absorbe adecuadamente (problemas metabólicos), porque tenemos problemas de riñón, porque consumimos poca B12 ó poca B6, o por abusar del café, del alcohol o del tabaco.

La fuente última de vitamina B12 es la síntesis microbiana; para que cualquier alimento vegetal contenga vitamina B12 el alimento debe estar contaminado con la bacteria sintetizadora de la vitamina B12. Los vegetarianos que no son veganos (por ejemplo, los ovo-lacto-vegetarianos) ingieren cantidades adecuadas de vitamina B12 en productos de los animales (por ejemplo, huevos, leche y otros). Si estos vegetarianos desarrollan deficiencias en vitamina B12 es por las mismas razones por las que lo pueden desarrollar los humanos omnívoros. Debido a que cualquier defecto estructural o funcional en la maquinaria gástrica, pancreática o del intestino delgado para la absorción de la vitamina B12 puede causar deficiencia en la vitamina B12, la causa más frecuente de la deficiencia de vitamina B12 en los omnívoros está genéticamente predeterminada y es la pérdida de la función gástrica secretora dependiente de la edad, esto es, la anemia perniciosa.

MINERALES

HIERRO Y VEGETARIANOS

La anemia es un trastorno caracterizado por la disminución de la cantidad de hemoglobina, y con frecuencia del tamaño y número de glóbulos rojos. Como los glóbulos rojos son los encargados del transporte del oxígeno a los tejidos, las consecuencias de la anemia son la limitación en el intercambio de oxígeno y dióxido de carbono entre sangre y tejidos, lo que conlleva un deterioro funcional, en el que aparece decaimiento, fatiga, palpitaciones, dolor de cabeza, alopecia...

Un gran número de anemias se deben al seguimiento de dietas mal configuradas, donde no se obtiene la cantidad adecuada de nutrientes necesarios, como minerales (hierro*, cobre, zinc y magnesio), vitaminas (C*, B6, A, ácido fólico*, B12*), y proteínas.

También pueden deberse a hemorragias, enfermedades crónicas, etc, siendo fundamental la identificación de la causa para la resolución del problema.

Tipos de anemia:

1.- ANEMIA FERROPÉNICA

Según la Organización Mundial de la Salud (OMS) afecta al 15% de la población mundial. Las 3 causas principales que pueden motivar un agotamiento de los depósitos de hierro y derivar en una anemia ferropénica son:

- La pérdida crónica de sangre: hemorragias, menstruación abundante;

- Una dieta baja en hierro o una absorción insuficiente del mismo;

- Períodos en los que aumentan las necesidades de hierro: especialmente en lactantes, niños, adolescentes, mujeres en edad fértil, mujeres gestantes y ancianos.

Convine saber que:

- El uso de anticonceptivos intrauterinos aumenta la prevalencia de metrorragias, incrementando las pérdidas de hierro.

- Durante la gestación, las demandas de hierro se hacen muy superiores, observándose con frecuencia una anemia moderada, que en la mayor parte de los casos es fisiológica, pero que puede llegar a ser patológica.

- El ejercicio intenso puede ser causa de anemia, provocada por una mayor destrucción de glóbulos rojos y una menor absorción del hierro; por otro lado, las personas que realizan un ejercicio muy intenso necesitan un mayor aporte de oxígeno y requieren de más cantidad de hierro. La presencia de anemia disminuye su rendimiento deportivo.

- Consumo de alimentos fortificados.

- Incluir alimentos ricos en vitamina C en las comidas en las que se quiera incrementar la absorción de hierro, por ejemplo en el desayuno, tomar un zumo de mandarina, junto con la ingesta de cereales enriquecidos, y junto alimentos vegetales ricos en hierro (almendras, orejones de albaricoque o batidos de verduras y frutas).

- Evitar tomar grandes cantidades de fibra junto con la ingesta de hierro no hemo.

- Suprimir el consumo de grandes cantidades de té, café, o vinagre en las comidas.

- Los alimentos vegetales que más hierro poseen son los frutos secos, las frutas desecadas como los dátiles, y las legumbres; no obstante, la biodisponibilidad del hierro en la dieta es mucho más importante que el contenido total de la misma. Los factores que pueden modificar la absorción del hierro con:

1. El hierro hemo, presente en productos animales, se absorbe mejor (15-35% en función de los depósitos del cuerpo), que el hierro no hemo (3-8%), presente en vegetales (habas secas, pistachos, lentejas, garbanzos, soja, pipas de girasol, guisantes secos, almendras, avellanas, espinacas), cuya absorción puede modificarse teniendo en cuenta los siguientes factores:

- El hierro no hemo se absorbe mejor junto a vitamina C (pimientos, papaya, kiwi, coles, frambuesa, cítricos, nabos, calabaza), fructosa, proteínas animales (yema de huevo) y lactosa de la leche;

- Inhiben su absorción la presencia de taninos (vino, té y café), oxalatos (sustancias naturales de algunas plantas, como las espinacas, que tomadas en exceso actúan como antinutrientes), fosfatos, ácido acético (vinagre), altas cantidades de calcio, y fitatos (fibra del grano de cereales).

2. A menor cantidad de hierro en los depósitos de la persona, menor es su absorción.

2.- ANEMIA MEGALOBLÁSTICA.

Es el reflejo de una alteración en la síntesis de ADN, y suele estar causada por una deficiencia de vitamina B12 o de ácido fólico (vitamina B9), nutrientes indispensables en la síntesis de nucleoproteínas. Los depósitos de vitamina B12 sólo se alteran después de mantenerse la carencia durante varios años (veganos); mientras que las reservas de ácido fólico se agotan después de 2-4 meses de seguir una dieta deficiente (embarazadas, lactantes nacidos de madres con deficiencia).

Los alimentos con mayor contenido en ácido fólico son las verduras, especialmente las de hoja verde, hortalizas y frutas. Como esta vitamina se destruye por el calor, se recomienda su consumo en crudo, al vapor o escaldado, utilizando el agua del escaldado como consomé con un poquito de miso sin pasteurizar.

La anemia perniciosa suele tener su origen en una deficiencia de vitamina B12, que normalmente se debe a la falta de factor intrínseco, necesario para la absorción de la vitamina a partir de la dieta, o por el seguimiento de una dieta vegana, dado que la vitamina B12 se encuentra en alimentos de origen animal. Los huevos, la leche y sus derivados, son particularmente ricos en vitamina B12, asimismo deben incluirse en la dieta alimentos que contengan hierro y ácido fólico.

3.- OTRAS CAUSAS DE ANEMIA

- Deficiencia de cobre en niños alimentados exclusivamente con leche de vaca o fórmulas infantiles que contengan un aporte insuficiente de este mineral;

- Malnutrición calórico-proteica, aunque normalmente va a asociado a deficiencias en hierro, ácido fólico, vitamina B12 y otros nutrientes.

GUÍAS PARA LA CONFECCIÓN DE MENÚS RICOS EN HIERRO

- Si se tiene bajo el hierro, consumir al menos 2 veces a la semana un zumo de mandarina y una ensalada de legumbres germinadas con perejil y pimiento rojo crudo, para mejorar la calidad de la proteína y aumentar la absorción de hierro con la vitamina C del pimiento, del perejil y de la mandarina.

- Las verduras más recomendables son: acelgas, espinacas y habas frescas poco cocinadas, así como endibia y escarola en ensalada.

- Si se elige la opción ovo-lacto-vegetariana, se pueden incluir 2 veces a la semana huevos o lácteos, siempre de procedencia ecológica y mejor de cabra.

- Tomar cítricos de postre (vitamina C), por ejemplo fresas con zumo de mandarinas; o lácteos fermentados si no se es vegano (mejoran la absorción del ácido fólico), como yogur o kéfir.

- Los cereales integrales tienen más hierro, vitamina B12, y ácido fólico que los refinados, pero su contenido en fitatos hace que se absorba peor. No abusar de ellos.

- El alcohol disminuye la absorción de ácido fólico. La anemia perniciosa es frecuente en alcohólicos crónicos. Se aconseja no ingerir alcohol cuando se tienen dificultades con la absorción del hierro.

- Contienen buenas cantidades de hierro las legumbres como lentejas, guisantes y garbanzos; la melaza; la fruta desecada como los dátiles, las ciruelas pasas y los orejones de albaricoque; la col, las semillas de calabaza, el perejil, las espinacas, el germen de trigo, y los cereales integrales como la quínoa.

- El uso de cacerolas de hierro colado también contribuye a aumentar la cantidad de hierro en la dieta, especialmente cuando se cocina un alimento acidificante como la salsa de tomate.

Contenido en nutrientes mg/100 gr de algunos alimentos incluidos en la dieta vegetariana			
Hierro	**Vitamina C**	**Ácido Fólico**	**Vitamina B12**
Habas secas: 8,5	Guayava: 273	Soja: 240	Yema de huevo: 4,9
Pistachos: 7,3	Pimientos: 131	Pipas de girasol: 227	Huevo de gallina: 2,1
Lentejas: 7,1	Papaya: 80	Judías, garbanzos: 192	"Cornflakes": 2
Garbanzos, judías: 6,7	Kiwi: 71	Acelgas, espinacas: 140	Cereales desayuno Special K: 1,7
Soja: 6,64	Coliflor, coles y repollo: 65	Grelos: 110	Queso Brie: 1,7
Pipas de girasol: 6,3	Frambuesa: 60	Cacahuetes, almendras, avellanas: 110	Queso Gruyère, Emmental y Manchego: 1,5
Guisantes secos: 5,3	Limón y naranja: 50	Puerro: 103	Queso de bola: 1,4
Almendras, avellanas: 4	Pomelo: 44	Remolacha: 90	Cabrales y Roquefort: 1,2
Espinacas: 4	Grelos: 40	Coles y repollo: 79	Queso gallego: 0,8
Grelos, acelgas: 3	Mango: 37	Guisantes verdes, habas: 78	Requesón cuajada queso Burgos,: 0,5
Higos secos, ciruelas secas: 3	Mandarina: 35	Nueces: 77	Leche de vaca, queso en porciones, batidos lácteos: 0,3
Pan integral: 2,5	Nabos: 31	Coliflor, judías verdes: 69	Cerveza: 0,14
Nueces: 2,3	Espinacas: 30	Pistachos: 58	
Huevo gallina: 2,2	Zumo cítricos: 30	Boniato batata: 52	
Chocolate: 2,2	Espárragos, puerro, tomate: 26	Quesos Cabrales y Roquefort: 50	
Galletas: 2	Boniato y batata: 25	Naranja, mango: 37	
Harina de maíz: 2	Melón: 25	Lentejas: 35	
Cacahuetes, dátiles: 2	Habas, judías verdes: 24	Lechuga, escarola, cardo, berenjena, espárrago: 34	

Conclusión

Se pueden construir dietas vegetarianas altas en hierro biodisponible. Para el vegetariano, una dieta alta en vitamina C, frutas y vegetales, puede aportar cantidades adecuadas de hierro mientras la dieta también contenga variedad de cereales, legumbres, frutos secos y semillas, que son ricos en hierro. El riesgo de deficiencia en hierro no es diferente para un vegetariano que para quienes siguen una dieta no vegetariana. Una dieta vegetariana bien planificada es compatible con un saludable nivel de nutrición a todos los niveles.

CALCIO Y VEGETARIANOS

El calcio provee la matriz mineral para los dientes y los huesos, y juega un papel fundamental en la coagulación de la sangre, así como en las actividades enzimáticas. Las verduras con hojas de color verde oscuro tienen mucho más calcio por caloría que la leche de vaca (ver tabla comparativa en pág. 98).

Alimentos ricos en calcio son la col, el nabo, las hojas de mostaza, las algas, el brócoli, la algarroba, los germinados, los higos, los vegetales de hoja verde oscura, las semillas de sésamo, los orejones de albaricoque, las almendras...

Véase la siguiente tabla comparativa (Fuente: USA and Japan food composition tables, 1998). Es interesante localizar el lugar que ocupa la leche de vaca con respecto a otros alimentos, en cuanto a la cantidad de calcio que contiene.

El calcio procedente de la leche de vaca no se aprovecha si la persona no obtiene también magnesio de los alimentos que ingiere, ya que para la asimilación del calcio es necesario contar con la presencia de magnesio, exactamente en la proporción 2 a 1. Las algas son una buena fuente de calcio y magnesio. De igual forma necesitamos vitaminas A, C y D para asimilar correctamente el calcio. Si estamos faltos de alguno de estos nutrientes, nuestro organismo no puede absorber el calcio.

La leche humana, por diseño destinada a satisfacer las necesidades de un bebé durante su período más rápido de crecimiento, tiene 80 mg de calcio por taza, comparada con los 288 mg de la leche de vaca, cuyos nutrientes están sobredimensionados para los requerimientos de los seres humanos.

Alimentos	Calcio en mg/100 g
Alga hiziki	1400
Alga wakame	1300
Alga kelp	1099
Semillas de sésamo	975
Soja	277
Almendras	266
Levadura de cerveza	210
Avellanas	209
Perejil	135
Berros	120
Leche de vaca	**119**
Acelgas	110
Tofu	100
Nueces	99
Espinacas	99
Brócoli	48
Arroz integral	33

Fuente: USA and Japan food composition tables, 1998.

ZINC Y VEGETARIANOS

El zinc está presente en más de 80 enzimas, trabaja con muchas vitaminas y proteínas, y desempeña un gran papel en el sistema inmunológico. La deficiencia, generalmente junto con otras condiciones, incluyendo el alcoholismo y la artritis, retarda el crecimiento y la cicatrización, produce malformaciones de nervios, y daña los sentidos gustativo y olfativo. Las verduras del mar, las semillas de calabaza y girasol, las legumbres, los frutos secos, las hojas verde oscuro, la levadura de cerveza, la avena y los demás cereales integrales en general son unas de las mejores fuentes de zinc.

OMEGA 3

Para obtener un equilibrio correcto en la proporción de los ácidos grasos omega 3 (4 partes) y omega 6 (1 parte), se recomienda tomar sólo aceite de oliva (omega 9) y no de girasol ni maíz (ricos excesivamente en omega 6), así como aceite de lino y semillas de chia (ricos en omega 3).

Aunque popularmente se recomienda tomar pescado azul para obtener omega 3, lo cierto es que las personas vegetarianas pueden obtener el preciado omega 3 de las semillas chia (ver receta de desayuno rico en omega 3, pág. 25), que son la fuente vegetal con mayor contenido en omega 3 que se conoce hoy día, de las nueces o del aceite de lino (3 nueces o 1 cucharadita de aceite de lino cada día) y así evitar la ingestión de mercurio, que es un metal pesado, tóxico para el bebé si se está embarazada, que se encuentra en los pescados azules como el atún. Además los mares hoy día se encuentran muy contaminados, y debemos tener cuidado con el pescado (con las algas no ocurre igual porque no crecen en mares contaminados).

Los bebés vegetarianos pueden sintetizar el omega 3 a partir de ácido alfa-linolénico, presente en la leche materna, si la madre ingiere suficiente omega 3 en su dieta.

En el caso en que la madre sea vegetariana, puede obtener el omega 3 de fuentes vegetales como el aceite de lino (mejora su absorción si se ingiere junto a alimentos azufrados, como por ejemplo las coles, el ajo, la cebolla, a la vez que disminuye su consumo de alimentos que contengan ácido linoleico (como el aceite de girasol o de maíz, es decir, se trata de priorizar el consumo de aceite de oliva frente al aceite de otras semillas), y reducir hasta el límite el consumo de alimentos que contengan grasas vegetales hidrogenadas (margarinas, galletas, bollería, pasteles y helados), que son grasas saturadas que interfieren en la síntesis de omega 3. También se recomienda a la madre que limite el consumo de grasa láctea, disminuyendo en general la ingesta de lácteos o tomándolos desnatados. Si la madre no puede amamantar al bebé, habrá que alimentarlo con una leche maternizada que contenga todos los nutrientes que éste necesita y en la proporción adecuada, no siendo válidas las leches vegetales a base de soja, arroz, almendras, avellanas o avena, si éstas no están formuladas específicamente para bebés.

PROTEÍNAS

Aún hoy en día, muchos nutricionistas, médicos y científicos, mantienen que el hombre no puede sobrevivir sin consumir carne, pescado, huevos o leche; y responden con violencia cada vez que se demuestra (incluso con ejemplos vivientes, que somos los vegetarianos y los veganos), que esto es posible.

Es curioso que estas personas no hayan investigado esta posibilidad, ni siquiera se han fijado que desde hace milenios, existen pueblos y culturas que no utilizan la carne o el pescado como elemento principal de su alimentación, o que simplemente no lo toman y que, sin embargo, no están desnutridos, sino más sanos que la población en general (por ejemplo los Hounzas).

Ha tenido que ir cambiando la mentalidad occidental para que la ciencia se haya ido abriendo poco a poco y hoy en día, se contemple la alimentación vegetariana como una posibilidad más y sea relativamente respetada.

La razón de todo esto es que la carne y el pescado, más la carne, ha sido un mito en la cultura de Occidente, y para defender éste y sus intereses, ha de dársele una vestimenta dietética, poniendo la carne, los lácteos, los huevos y el pescado como alimentos indispensables.

Hoy se le dá una mayor importancia a las verduras y hortalizas, a la fruta, a los cereales, a las legumbres, a la fibra vegetal, etc. No obstante, siempre se deja bien claro que la alimentación ha de estar presidida por la "proteína animal", porque si no está no se considera una dieta equilibrada.

Vamos a analizar qué ha de hacer nuestro organismo para aprovechar la proteína animal.

La proteína animal, como se dice, es una proteína completa, ¿por qué?, pues porque el animal, por ejemplo, la ternera, ha tenido que formar sus propias proteínas (unión de todos los aminoácidos esenciales) a partir de los alimentos vegetales ingeridos que a su vez portaban proteínas incompletas (aminoácidos sueltos). Con todos estos aminoácidos sueltos, han ido formando la proteína biológica necesaria para su organismo vacuno, con un determinado gasto energético.

Se piensa que como ya tenemos una proteína completa de un animal, ya no son suficientes otras proteínas parciales o incompletas, presentes en los granos de cereal o de legumbre o en los frutos secos, etc., para que nuestro cuerpo forme nuestra propia proteína biológica humana.

Esta es una creencia que no tiene base científica alguna, y sin embargo, confían en ella la mayor parte de los hombres de ciencia.

Decimos que no tiene base científica porque la proteína animal, al pasar a la digestión, es descompuesta de nuevo por numerosas enzimas (peptinas, proteasas) y convertida otra vez en proteína incompleta o aminoácidos, para cuya desintegración el aparato digestivo necesita hacer un gasto energético importante. Una vez que han sido absorbidas como aminoácidos en el torrente sanguíneo, entonces el hígado, entre otros, debe trabajar para transformarlas y recomponerlas en proteína humana, gastando de nuevo una cantidad importante de energía y dejando buena cantidad de toxinas residuales, difíciles de eliminar.

Las toxinas residuales de la carne o del pescado no son ninguna tontería, pues cualquier animal cuando muere y pierde la vida, empieza a descomponerse y al poco tiempo puede observarse a través del microscopio, una enorme cantidad de gusanos o cadaverinas que están activando su descomposición, y que más tarde, si dejáramos pudrirse por completo el animal al máximo, crecerían y se convertirían en grandes gusanos como los que aparecen en los cadáveres en descomposición.

Este espectáculo biológico lo podemos observar en cualquier clase de carne y pescado. Los peces se descomponen antes por tener una carne más blanda y ser de sangre fría, por lo que la eliminación de estas toxinas se hace más laboriosa para nuestro cuerpo. Fermentan anómalamente en nuestro intestino, produciendo mucha putrefacción.

Por lo dicho, la elaboración de nuestra propia proteína humana a partir de la proteína animal no parece muy interesante. No es un proceso limpio, además de hacernos gastar una gran cantidad de energía en cuatro fases:

La primera en deshacer la proteína animal en aminoácidos utilizables; la segunda en construir la proteína biológica humana, a partir de estos aminoácidos; la tercera, en facilitar la eliminación de toxinas residuales; y la cuarta, en neutralización de las bacterias putrefactivas.

En cambio construir nuestros tejidos a partir de proteínas de primera mano, como son las vegetales, es más interesante.

En primer lugar, lo mejor es construir nuestra proteína a partir de la enorme gama de proteínas incompletas pero variadas y de gran calidad biológica, que nos ofrecen los vegetales (granos de cereales, legumbres, frutos secos, semillas...).

En segundo lugar, el gasto energético en absorber y utilizar los aminoácidos en la construcción proteica, se produce una sola vez, en vez de dos como ocurre al ingerir proteínas de carne o pescado, y con menos esfuerzo energético.

En tercer lugar los deshechos y toxinas residuales procedentes del metabolismo de la proteína vegetal, son mucho menores, por lo que el gasto energético del cuerpo en su eliminación no tiene punto de comparación.

Por otra parte, antes se pensaba que los vegetarianos debíamos consumir todos los aminoácidos esenciales en la misma comida. Como las legumbres son carentes en uno de ellos, la metionina, (excepto la soja), y los cereales en otro de ellos, la lisina (excepto la quínoa, que los contiene todos), se recomendaba comer platos como lentejas con arroz. Hoy en día se sabe que el organismo humano es capaz de construir una proteína completa a partir de los aminoácidos esenciales que le van llegando con los alimentos que se ingieren en diferentes momentos, sin ser necesario tomar todos los aminoácidos esenciales en la misma comida ni, incluso, en el mismo día.

SEGUNDA PARTE

ALIMENTACIÓN VEGETARIANA PARA EMBARAZADAS

Durante este período crítico nutricional, se debe tener en cuenta que el bebé absorbe todos los nutrientes directamente de su madre, por lo que ésta deberá tener buenas reservas. Por tanto, si se desea estar embarazada, es buena idea introducir con anticipación los cambios necesarios en la dieta.

Durante el embarazo las necesidades de energía de la madre aumentan en un 10-15%, pero sus necesidades de minerales y vitaminas en un 20-100%.

Las necesidades de vitamina A aumentan en un 10%, y las de vitamina C en un 12%. La vitamina A se encuentra en frutas y verduras anaranjadas y amarillas, y en las verduras de hoja verde. La vitamina C se encuentra en los cítricos, las fresas, el kiwi, el melón, las frutas tropicales (papaya, mango, guayaba), las verduras de hoja verde, el perejil, los pimientos, las coles, etc.

Habrá que ser cauto con los suplementos de vitaminas A y D, puesto que son vitaminas liposolubles, y el exceso de acumula en el organismo.

Con las vitaminas del grupo B, hidrosolubles, no ocurre lo mismo, pues el exceso se elimina por la orina. Normalmente las embarazadas vegetarianas tienen más vitamina B9 (ácido fólico) que las que no lo son (se encuentra en los espárragos, el nabo, el zumo de naranja, la remolacha, las espinacas y otras verduras de hojas, el aguacate, las legumbres...), pues aumenta su absorción, pero aún así se recomienda tomar suplementos de vitaminas del grupo B (si no se ingiere todo el grupo completo no se asimilan bien), porque el riesgo de no tener cubiertas las necesidades de B9 es muy elevado. Se necesitan 400 mcg de ácido fólico al día. El ácido fólico es una vitamina del grupo B, concretamente la B9, que se ha relacionado con problemas neurológicos en el bebé, que pueden ser evitados en un 50% de los casos, aumentando el ácido fólico durante el momento de la concepción y los primeros meses de embarazo. La dosis diaria recomendada para embarazadas es de 600 mcg. Las dietas vegetarianas normalmente contienen bastante más ácido fólico que las no lo son.

Se desconoce el impacto que puede tener la deficiencia de reservas de vitamina B12 de la madre en las reservas de vitamina B12 del bebé. En cualquier caso, hay que tener en cuenta que las algas y los productos fermentados derivados de la soja no son fuentes fiables como antes se pensaba (ver apartado correspondiente a la vitamina B12 en pág. 86).

La vitamina D es necesaria para una correcta absorción del calcio. Las cantidades recomendadas de vitamina D para embarazadas son las mismas que para no embarazadas: 5 mg/día. La vitamina D puede sintetizarse a partir de la exposición al sol.

No debe tenerse miedo de no ingerir proteínas suficientes, tan sólo se necesitan unos 10-20 gramos más que las mujeres que no están embarazadas.

Las necesidades de hierro aumentan considerablemente, pues son necesarias para la formación de glóbulos rojos. Esto se compensa con el aumento de la absorción de hierro por parte del cuerpo y la disminución de las pérdidas de hierro (desaparece la menstruación). De todas formas, hay riesgo de deficiencia de hierro durante el tercer trimestre de embarazo y por ello se recomienda doblar la ingestión de hierro (de 15 mg/día a 30 mg/día) durante este período. Esto es igual para mujeres vegetarianas y veganas que para omnívoras, y no se ha demostrado que la deficiencia de hierro durante el embarazo sea mayor en vegetarianas o vegetarianas estrictas. Son buenas fuentes de hierro las legumbres, los frutos secos, las semillas, las frutas desecadas, los cereales integrales y los vegetales de hoja verde. Si se toman estos alimentos combinados con algún otro alimento que sea rico en vitamina C, aumentará la absorción del hierro considerablemente, como ya hemos visto. Se recomienda evitar fumar, tomar té negro y café durante las comidas, así como el exceso de lácteos, pues impiden la absorción del hierro (ver apartado correspondiente al hierro en pág. 90).

Ingerir yodo durante el embarazo previene al bebé de las llamadas "enfermedades por déficit de yodo", como el retraso mental y la parálisis cerebral. Puede obtenerse de la sal yodada, las algas o de suplementos de yodo (o de un multivitamínico-polimineral que lo contenga, como Multi-Guard de Lamberts, u otros que contengan de 100 a 150 mcg de yodo). El consumo excesivo de algunos alimentos crudos, como las coles, podrían incrementar los requerimientos diarios de yodo.

La carencia de zinc se relaciona con el riesgo de aborto o malformaciones en el bebé. Durante el embarazo se recomienda ingerir 15 mg de zinc al día, 3 mg más que si no se estuviera embarazada. Incluir en la dieta alimentos ricos en zinc, como legumbres, frutos secos, semillas y cereales integrales.

Las mujeres embarazadas sintetizan mejor el calcio que ingieren que las que no lo están; por ello aunque sus necesidades aumentan, no es necesario tomar suplementos de calcio, se recomienda tomar leche vegetal enriquecida con calcio, pasta de sésamo (tahini), algas hiziki y brócoli, ricos en cacio y magnesio, o en todo caso tomar un suplemento de 1000 mg de calcio al día. El calcio colabora con la adecuada formación de los huesos y dientes del futuro bebé, así como sus nervios, músculos y el funcionamiento de la sangre. El cuerpo de la madre tiene grandes reservas de calcio (sus huesos), así que el bebé tendrá suficiente. Para evitar utilizar estas preciadas reservas de calcio, es importante que la madre ingiera suficientes alimentos ricos en este mineral, así como en magnesio, pues el calcio necesita de aquel para su correcta asimilación.

De los ácidos grasos esenciales, omega-6 (linoléico) y omega-3 (alfa-linoléico), los vegetarianos y veganos sólo han de preocuparse por el segundo, cuya fuente principal es el pescado, pero puede subsanarse tomando aceite de lino, nueces o, principalmente, semillas chia; y así evitar la ingestión de mercurio, que es un metal pesado, tóxico para el bebé, que se encuentra en los pescados azules como el atún.

Hacer ejercicio es sano para todo el mundo pero, especialmente para las embarazadas, porque ayudará a que no se gane demasiado peso, con los calambres y varices, a equilibrar intestinos, a controlar la diabetes gestacional, etc, además de facilitar el momento del parto.

La composición nutricional de la dieta de la madre afectará a la composición de su leche, especialmente en cuanto a las vitaminas. Lo que ingiera tendrá un tremendo impacto en la composición de la grasa de la leche. Es importante ingerir suficiente ácido graso omega-3 durante este período.

No hay mejor alimento para la mente y el cuerpo del bebé que la leche materna, expresamente designada para proveerles del correcto equilibrio entre nutrientes para un crecimiento y desarrollo óptimos. La tasa de mujeres que deciden darle el pecho a su bebé es notablemente superior en vegetarianas, además lo hacen durante largos períodos de tiempo. Se recomienda dar de mamar al bebé durante un mínimo de 1 año, siendo deseables 2 años o más. Por otro lado, las mujeres que amamantan a sus bebés recuperan antes su figura tras el parto.

Los dos riesgos más comunes son las posibles carencias de vitamina B12 y vitamina D. Se recomiendan 2,8 mcg/día de B12 durante la lactancia. La vitamina D no debe ser un problema viviendo en España.

Durante el embarazo y la lactancia debe aumentarse significativamente la ingestión de nutrientes, en cambio aumentar la ingestión de calorías sólo moderadamente, consumiendo unas 2.500 calorías al día. Esto se consigue aumentando la cantidad de frutas, verdura, germinados y fermentados (miso, umeboshi, chucrut, kéfir...)

Es esencialmente importante durante el embarazo observar un correcto equilibrio ácido-alcalino en la sangre, derivado de la ingesta de alimentos adecuados (ver pág. 77).

Por este motivo, deberán evitarse especialmente:

- Alcohol;
- Alimentos enlatados;
- Bebidas carbonatadas;
- Café y bebidas excitantes;
- Dulces;
- Grasas hidrogenadas (ojo con las margarinas y la bollería industrial);
- Platos o alimentos precocinados;
- Por supuesto cualquier tipo de carne roja y, sobre todo, si ésta es cruda;
- Productos refinados (normalmente cereales refinados como el trigo blanco del pan y la pasta, o el arroz blanco);
- Sal refinada o sal de mesa común, mejor utilizar
    o sal marina atlántica;
    o gomasio, que es una mezcla a partes iguales de sal marina y sésamo triturado;
    o o una buena sal de hierbas.

ALIMENTOS VEGETARIANOS IDEALES PARA EMBARAZADAS

- Aceites de primera presión en frío, de oliva, de sésamo, de lino, de pepitas de uva... aportan vitamina E y ácidos grasos esenciales omega 9, 6 y 3. El equilibrio correcto entre omega 3 y 6 se consigue tomando aceite de oliva y lino en la proporción 4:1)
- Algas, especialmente nori, arame, wakame y kombu, que aportan yodo, hierro y calcio. (Ver recetas con algas en pág. 61, 70, 71, 72, 75 y 171).
- Cereales integrales, pues es en la cáscara donde se encuentran la mayor parte de vitaminas y minerales: arroz integral, avena, quínoa, mijo, trigo sarraceno, amaranto...).
- Fermentados como el kéfir, el miso o el chucrut (no pasteurizados), que equilibran la flora intestinal, paso previo para absorber correctamente los nutrientes que se ingieren.
- Fruta ecológica y de la estación.
- Frutas desecadas, como orejones de albaricoque, pasas de uva, dátiles, higos, ciruelas... como sustitutos del azúcar.
- Frutos secos, fuente de proteína vegetal, fibra y ácidos grasos esenciales.
- Germinados, ricos en enzimas, vitaminas y minerales.
- Legumbres, como fuente de proteínas vegetales de calidad y fibra: Lentejas, garbanzos, azukis, judías...
- Levadura de cerveza, que contiene ácido fólico (vitamina B9). Lo ideal es tomar de 2 a 4 cucharadas soperas de levadura de cerveza en copos al día. Puede añadirse a sopas, ensaladas, zumos, yogur, cremas...
- Semillas oleaginosas, como las pipas de girasol, de calabaza, de lino, sésamo (también como tahini) o chia. Fuente de proteína vegetal, fibra y ácidos grasos esenciales omega 6 y omega 3.
- Verdura ecológica y de la estación, especialmente verduras de hoja verde, fuente de ácido fólico (vitamina B9). También coles (coliflor,

brócoli, repollo, coles de Bruselas) y hortalizas (tomate, pimiento rojo, cebolla, remolacha...).

¿NAUSEAS?

Un truco para las nauseas de las embarazadas es tomar un poco de ciruela umeboshi o pasta de umeboshi, en ayunas cada día, y siempre que se tenga el estómago vacío. Es muy ácido y cuando lo tomas acabas moviendo la cabeza como si chuparas un limón, pero suele cortar las nauseas y los vómitos.

RECETAS VEGETARIANAS IDEALES PARA EMBARAZADAS

"BITTER KAS" (RECETA DE PILAR SAORIN)

Mezclar el zumo de 4 pomelos rojos con una cestita de frambuesas. Batir todo con hielo picado. Delicioso para los aperitivos. También se le puede añadir agua con gas para darle el toque de refresco.

ALBARICOQUE EN PAPILLOTE

Dispón un cuadrado de 30 centímetros de lado de papel sulfurizado.
Coloca sobre el papel 6 mitades de albaricoques, rocía con miel de espliego, cristales de sal, y espolvorea por encima con flores de espliego.
Cierra el paquetito y hornea 10 minutos a 180 grados. Se sirve el paquetito

cerrado, decorado con una ramita de espliego por encima, que el comensal lo abra en la mesa.

PATÉ DE ZANAHORIAS CON ENDIBIAS

Para el paté tritura tres zanahorias con una cucharada sopera de cúrcuma, un trozo de jengibre fresco de un centímetro aproximadamente y un diente de ajo.
Mezcla con un aguacate y rellena las endibias con la mezcla. Corona con una ramita de tomillo sobre cada endibia rellena.
Dispón las endibias sobre una cama de berros.
Añade como guarnición unas rodajas de pepino cortadas muy finas con la mandolina.
Rocía con sal marina y un hilito de aceite de oliva sobre el conjunto.

CREMA DE AGUACATE CON BARQUITAS DE ENDIBIA CON ENSALADA DE LENTEJAS

Para la crema:
1 aguacate
1 tomate
Un octavo de cebolla
Un trozo pequeño de pimiento rojo
El zumo de una lima
1 vaso de agua
Sal marina
Pimienta negra

Tritura todo junto y sírvelo con un picadillo por encima de aguacate, cebolla, tomate y pimiento rojo.

Para la ensalada de lentejas:
Lentejas cocidas

Tomate en dados
Cebolla picada
Perejil fresco picado
Sal marina
Aceite de oliva

Rellena las endibias con esta ensalada.

Dispón en un plato rectangular, el cuenco con la crema de aguacate y su picadillo por encima, y al lado 3 endibias rellenas de la ensalada de lentejas.

TABOULÉ DE QUÍNOA

1 vaso de quínoa
2 cebollas grandes, bien picadas
4 tomates, picados en pequeños daditos
1 pepino
3 cucharadas de perejil picado
3 cucharadas de menta fresca picada
El zumo de un limón
Misma cantidad de aceite de oliva que de limón
Una pizca de comino, pimienta negra y canela, molidos.

Mezcla el perejil, la menta, el limón, el aceite, el comino, la pimienta negra y la canela; y déjalo macerar mientras preparas la ensalada. Enjuaga y cocina la quínoa en dos vasos de agua durante 15 minutos y acláralo con agua fría.
Añade el tomate, el pepino y la cebolla picados muy finos. Mézclalo bien y aliña con la preparación anterior, removiendo bien para que la ensalada se impregne de su sabor.

BEBÉS Y NIÑOS VEGETARIANOS

La mayor prueba que puede pasar la dieta vegetariana para ver si es correcta es que la siga un niño. Si el niño está sano, que es el ser que se encuentra en su estado más vulnerable, entonces es que la dieta es posible. Hay que tener en cuenta que los niños tienen necesidades nutricionales bastante distintas de las de los adultos, pues al estar creciendo rápidamente requieren más proteínas, grasas, vitaminas y minerales por kilo de peso en relación a los adultos. Por ello hemos de alejarnos del modelo alimenticio diseñado para adultos, centrado en prevenir enfermedades degenerativas, y acercarnos a un modelo que priorice el crecimiento y desarrollo óptimos.

Hasta que cumplen 3 años, crecerán a muy buen ritmo gracias a la leche materna, que es lo único que necesitan durante los 6 primeros meses de vida. La leche materna fortalece su sistema inmunitario, reduce el riesgo de que desarrollen alergias, y la incidencia de enfermedades de tipo respiratorio, gastrointestinal, etc, a la vez que crea un vínculo de unión de la madre con su hijo. Es muy cómodo y económico (leche siempre lista a la temperatura perfecta). Se aconseja a las madres vegetarianas que den de mamar a sus bebés al menos durante 2 años pudiendo durar la lactancia de forma natural hasta los 4 años.

Cuando el bebé cuenta con 4-6 meses de edad, se sugiere introducir alimentos sólidos en su dieta. Si ves que está continuamente hambriento a pesar de mamar 8 ó 10 veces al día, habrá llegado el momento de comenzar introduciendo papillas de arroz y cebada, y verduras y frutas en puré.

Después se sugiere continuar con zumos de frutas naturales, rebajados con agua. Cuando el bebé tenga entre 8 y 9 meses, se le puede empezar a alimentar con trocitos de frutas y pan; y cuando tenga un año estará listo para comer los alimentos vegetarianos de la familia machacados.

Hay que observar bien por si se desarrollan alergias; evitar la sal y el azúcar, y si es posible, que su alimentación sea biológica.

Cuidar que no ingieran una cantidad de fibra excesiva, y evitar el salvado. Las dietas de alto contenido en fitatos, presentes en la cáscara de los cereales, y otros modificadores de la absorción mineral se asocian con un incremento del raquitismo (deformidad ósea) y anemia por deficiencia en hierro o B12 (ver apartado correspondiente en págs. 90 y 93). Si se evitan los riesgos conocidos, el crecimiento y desarrollo de los niños con ambas dietas, vegetariana estricta y vegetariana, parece ser normal.

El riesgo de la deficiencia de nutrientes es mayor durante los periodos de estrés físico y de crecimiento acelerado. Los problemas de la inadecuación de la dieta parecen darse más en niños que en adultos, ya que sus requisitos relativos al peso corporal son mayores y no pueden ejercer el mismo grado de control sobre lo que comen como lo hacen los adultos.

En los países occidentales desarrollados, los factores económicos no juegan un papel importante y restrictivo en la elección de la comida, como lo es en otros países en vías de desarrollo. Por ejemplo, hay una clara evidencia de que la tasa de crecimiento de niños vegetarianos es inferior comparada con la de los que siguen dietas mixtas en lugares como la India, donde la pobreza, las infecciones intestinales y la alta fecundidad, son lo común, y donde estos niños están también expuestos a un alto riesgo de anemia. Sin embargo, cuando las personas de origen hindú, emigran a países desarrollados y mantienen su dieta vegetariana pero consumiendo más cantidad de alimentos, el impacto de la dieta vegetariana en el crecimiento no es un dato relevante.

La ingesta de nutrientes esenciales es similar o mayor en niños vegetarianos que en niños criados con dietas mixtas. Además la ingesta de grasa tiende a ser ligeramente menor, suministrando 30-35% de energía, en niños vegetarianos, que también observan una mayor ingesta de carbohidratos, aproximadamente un 55% de la energía de la dieta.

El amamantamiento está recomendado durante el primer año de vida, con la sustitución por preparados comerciales para niños cuando no sea posible.

Las leches vegetales adecuadas para adultos no son apropiados para los niños debido a que no tienen añadida metionina, vitaminas (A, D, B12) y hierro. Las comidas sólidas pueden introducirse gradualmente, una cada vez, a los 4-6 meses de edad, y pueden ser papillas de cereales suplementados, vegetales y frutas. Estos pueden ser seguidos de requesón y yema de huevo. A los 7-8 meses de edad pueden introducirse pequeñas cantidades de purés de legumbres. Los niños deben ingerir pequeñas cantidades de alimento de manera frecuente, mínimo cuatro veces al día.

Las leches o las alternativas adecuadas a ésta constituyen una importante fuente de nutrientes en las dietas de los niños que empiezan a caminar. Se necesita una alta proporción de grasa en esta edad. El crecimiento es el primer factor indicativo de la adecuación de la dieta. A los niños vegetarianos en esta edad se les debe administrar cantidades adecuadas de vitaminas A, D, B12 y calcio. Éstas pueden obtenerse de alternativas lácteas reforzadas.

La energía y necesidades alimenticias de los niños pequeños están supeditadas a su nivel de actividad, crecimiento y peso. Los principios básicos de la nutrición son especialmente importantes para los niños con necesidades de alimentos con alta densidad de energía. Es muy aconsejable la inclusión de comidas variadas de todos los grupos de alimentos, evitando grandes cantidades de grasa y azúcares refinados. Por otro lado, no se recomienda para los niños una dieta basada exageradamente en alimentos altos en fibra y bajos en energía. La dieta de los niños se mejora si se eliminan las bebidas edulcoradas y los postres. Es asimismo importante para niños pequeños, tener buenas fuentes de vitaminas A, D, B12 y calcio.

RECETAS VEGETARIANAS IDEALES PARA BEBÉS Y NIÑOS

RECETAS RICAS EN HIERRO PARA BEBÉS DE 6 A 8 MESES DE EDAD

Purés o papillas de albaricoque, de lentejas (mejor las rojas o dhal porque no tienen piel), de judías y de verduras verdes, así como melaza y zumo de ciruela. Mejor acompañar de vegetales con vitamina C para ayudar a su asimilación.

BATIDO DE VERDURAS Y FRUTAS PARA NIÑOS

125-150 g de espinacas y endibias
Medio litro o más de agua filtrada
1 mandarina
1 plátano maduro

LASSI DE MANGO

3 cucharadas de yogur de cabra ecológico o bien de leche de coco
1 mango mediano maduro
2-3 vasos de agua
Miel

TEMPURA DE VERDURAS

Haz una mezcla con harina de maíz o de espelta, salsa de soja sin pasteurizar, y agua con gas.
Sumerge en ella las verduras, cortadas en trozos grandes: Cebolla, pimiento, calabaza, pimiento rojo, calabacín.
Fríelas en aceite de oliva caliente.

PAKORAS

Sumerge rodajas de calabaza, de berenjena, tiras de pimiento verde, arbolitos de coliflor, puntas de espárragos trigueros, etc, en una masa hecha con harina de garbanzos, levadura en polvo, sal marina y agua. Fríelo en abundante aceite de oliva.
Se sirve con salsa de mango y leche de coco.

FALAFEL ÁRABE

100 g de garbanzos germinados
Media cebolla
Media cucharada de curry
Una pizca de comino
Una pizca de canela
Una pizca de cayena
Una pizca de cilantro
Una pizca de pimienta negra
Una pizca de sal marina
Media rebanada de pan alemán negro de centeno rallado por nosotros (el que viene cuadrado en plástico, en la sección de dietéticos, herbolarios o el corte inglés, etc)

Es una de mis recetas preferidas. El truco para hacer que los garbanzos sean más sanos y digestivos: germinarlos. El cilantro es una planta parecida al perejil, de un verde más claro, cuyos frutos son tónicos para el estómago y diuréticos. Se utiliza en la cocina para hacer más digeribles los guisos. La infusión de cilantro sirve para combatir los trastornos del hígado y del estómago. Procede del Mediterráneo y ya se utilizaba en el Antiguo Egipto. Es muy importante en la cocina india, marroquí y mexicana, donde se introdujo a raíz de la conquista.

Mezcla todos los ingredientes excepto el pan rallado.

Añade el pan rallado hasta que obtengas la consistencia necesaria para hacer bolitas.

Prepara los falafels e introdúcelos a horno fuerte para que se doren. No pasarse, porque si no se secan. También puedes dorarlos en la sartén con una gota de aceite.

MOUSSE DE CHOCOLATE Y MOUSSE DE HIGOS

Para la mousse de chocolate, tritura los siguientes ingredientes y presenta el resultado en copas: Un aguacate, una cucharada sopera de cacao puro en polvo, y miel al gusto. Decora con frambuesas.

Para la mousse de higos, macera 12 higos secos sin rabito con el contenido de una lata de leche de coco, durante toda la noche.
A la mañana siguiente, tritura y preséntalos en copas. Decora con canela molida e higos secos picados.

Ambas preparaciones deben guardarse en la nevera para que solidifiquen.

¿POR QUÉ HAY PERSONAS QUE SUBEN DE PESO CUANDO CAMBIAN A UNA ALIMENTACIÓN VEGETARIANA?

Algunas de las personas que cambian a una alimentación vegetariana, con sorpresa observan que, si bien su alimentación parece que se ha vuelto más saludable, no obstante ellos han aumentado de peso, lo que parece una contradicción.

Por la herencia de las famosas dietas de adelgazamiento de tipo hiper-proteico, se considera que los hidratos de carbono son los responsables de este aumento de peso. Ciertamente en la alimentación vegetariana, se consumen menos proteínas y más hidratos de carbono que en una alimentación omnívora, sobre todo menos proteínas de origen animal. Pero esta no suele ser la causa del aumento de peso.

Es bastante frecuente que cuando una persona se inicia en la dieta vegetariana, una dieta vegetariana clásica con huevos y lácteos, aumente sin darse cuenta su consumo de grasas.

Aunque también habría que descartar un cambio de tipo hormonal o en el estilo de vida (disminución de la actividad física), vengo observando que las personas que se inician en la dieta vegetariana ingieren más cantidades de alimentos de las que necesitan. Con ellas, una mayor cantidad de grasas, que provienen fundamentalmente de los lácteos. También puede suceder la sensación de hinchazón abdominal por el cambio intestinal que supone un aumento en la ingesta de fibra, pero esto desaparece con el tiempo, cuando el organismo se habitúa.

Los nuevos vegetarianos que suben de peso, a menudo incorporan alimentos muy interesantes en su dieta, pero el problema es que los mezclan y los ponen todos a la vez y en todas las comidas, sobrecargando la alimentación. Por los mitos que existen relacionados con la alimentación vegetariana, aún hoy en el siglo XXI, muchos nuevos vegetarianos tienen miedo de no ingerir todos los nutrientes que necesitan. En muchos casos se tiene miedo a no ingerir las proteínas necesarias, y se recurre al queso de forma habitual, con idea de suplir esta carencia, que por otro lado, es inexistente.

Me resulta simpático que un vegetariano tenga que preocuparse por alimentarse bien y un omnívoro no. Continúan existiendo muchas ficciones sobre la alimentación vegetariana. Parece que hay que ser un experto en nutrición para poder alimentarse de vegetales y hacer "malabarismos" para que nuestra salud no se resienta.

Pero no es verdad. Se puede ser vegetariano y sentirse relajado respecto a la alimentación. Y esto se consigue estando bien informado y practicando, igual que cuando se aprende a conducir. Hay que saberse la teoría y luego llevarlo a la práctica personal de cada uno.

Para las personas que enfocamos la nutrición desde un punto de vista natural, los alimentos verdaderamente valiosos no son los que contienen muchos nutrientes, sino los que se digieren con facilidad, menos densos y más ricos en agua. Porque ingestión no significa absorción, y la absorción depende de una correcta digestión y metabolización de lo ingerido.

¿Cuál es el truco? Comer variado, pero no es necesario hacerlo en la misma comida, sino por ejemplo, a lo largo de la semana; de hecho, las mezclas excesivas en la misma comida son las que comprometen principalmente la digestión y el metabolismo.

Los alimentos vegetarianos puros, frescos y naturales, como las verduras de hoja verde o las hortalizas, no sobrecargan nuestro sistema digestivo, y no nos desgastan.

Por otra parte, quiero mencionar que todos los nutrientes que se necesitan están en el reino vegetal. El único nutriente que sólo se encuentra en productos animales es la B12. Si ocasionalmente se toman huevos y/o lácteos o miel, ahí la tenemos. Un vegano estricto, que nunca tome subproductos animales, puede tomar de vez en cuando un complejo de vitaminas del grupo B (no sólo la B12 aislada, para favorecer su asimilación).

De lo que se trata es de seguir una alimentación variada, de este modo, nos beneficiaremos de lo que aportan todos los alimentos vegetarianos. No es necesario aumentar las cantidades, ni tomar suplementos si se está sano, ni combinar aminoácidos en la misma comida,... todo eso son mitos que se han ido superando a medida que el número de vegetarianos ha ido en aumento y se conoce más sobre ello.

Es interesante conocer que ingredientes como el café, el té, el alcohol y el tabaco, actúan como inhibidores de la absorción de otras sustancias que necesitamos para funcionar correctamente. O que el hierro que procede de fuentes vegetales, se absorbe mejor en presencia de vitamina C.

Los alimentos vegetales que contienen más calcio son el sésamo (se asimila especialmente bien triturado, en forma de pasta de sésamo o tahini) y las algas. Además no llevan grasa saturada ni proteína animal como la leche. La proteína animal o la leche, son sustancias acidificantes de la sangre. Para alcalinizar la sangre acidificada, el cuerpo usaría sus reservas de calcio, procedente de los dientes y los huesos, por eso beber leche de animales para evitar carencias de calcio (osteoporosis), produce el efecto contrario. Aunque la leche es rica en calcio, también es rica en proteína animal, y ésta es la causa de que su ingesta exagerada produzca descalcificación.

Una vegetariana embarazada o alguien vegetariano que esté pasando por una etapa de estrés físico o mental, debe descansar más y comer alimentos lo más variados y frescos que pueda; recurrir a la carne o tomar lácteos en exceso, al margen de sus connotaciones éticas, no es necesario, es contraproducente.

El vegetariano que se refleje en esto y quiera bajar de peso, bastará con que haga pocas mezclas de alimentos densos en sus comidas, con que minimice o elimine su consumo de lácteos, y que aumente la cantidad de verduras y hortalizas frescas; al fin y al cabo, lo que ha elegido comer un vegetariano son, precisamente, vegetales.

RECETAS VEGETARIANAS IDEALES PARA PERSONAS CON SOBREPESO

ZUMOS PARA BAJAR DE PESO

- 3 tallos de apio, 2 tomates y un manojo de berros.
- 2 zanahorias, 100 g de germinados de alfalfa y unos tronchitos de brócoli.

ALIÑAR CON SALSAS CRUDAS LAS VERDURAS Y LOS CEREALES INTEGRALES O ENSALADAS DE LEGUMBRES

- Aliño francés para ensalada: Mezcla aceite de oliva, salsa de soja, mostaza, vinagre de umeboshi, cebolleta picada, agua y albahaca fresca picadita.
- Salsa de yogur: Mezcla bien un yogur, medio diente de ajo picado, menta fresca picada, un cebollino picado, una pizca de pimienta. Otra variante: Un yogur, una cucharada de zumo de limón, salsa de soja, dos nueces picadas, dos cucharadas de perejil picado y tres cucharadas

de hierbas frescas finamente picadas (cebollino, eneldo, borraja, melisa, estragón).

- **Mayonesa especial sin lácteos**: Una parte de leche de soja (como 50 ml), el triple de aceite de oliva, medio diente de ajo, el zumo de un limón, sal marina. Bátelo todo como si fuera una mayonesa tradicional.

- Mayonesa de zanahoria: Haz una mayonesa especial sin lácteos y añade una zanahoria cocida.

- Mayonesa de remolacha: Haz una mayonesa especial sin lácteos y añade un trozo de remolacha cocida.

- Salsa de tomate sin tomate: Cuece durante 45 minutos medio kilo de cebollas picadas, medio kilo de zanahorias picadas, un cuarto de remolacha, un poco de aceite de oliva, una hoja de laurel y dos tazas de agua. Tritura y añade un poco de umeboshi (o sal marina y vinagre de manzana).

- Salsa de miso y tofu: Bate una cucharada de miso con medio bloque de tofu sedoso, medio diente de ajo, una cucharada de aceite de oliva y agua en cantidad suficiente hasta que consigas la textura deseada.

- Bechamel de coliflor: Calienta una cazuela, añade un fondito de aceite de oliva, dos cebollas y una pizca de sal marina. Saltea. Añade un cuarto de coliflor, un fondo de agua y laurel o nuez moscada. Cuece tapado a fuego mediano 20 minutos. Retira las hojas de laurel y haz puré. Ajusta la consistencia con leche de arroz y el gusto con miso blanco.

- Salsa ligera de tofu para ensaladas: Se vierten en la batidora medio diente de ajo, medio bloque de tofu, una cucharada de aceite de oliva, una cucharada de orégano seco, salsa de soja y el zumo de limón. Aligera con agua hasta conseguir la consistencia deseada.

OTRAS RECETAS VEGETARIANAS IDEALES PARA PERSONAS CON SOBREPESO

Todas las recetas crudiveganas que encontrarás a partir de la página 44.

¿CÓMO SUSTITUIR LOS LÁCTEOS?

- Sustituir la leche de vaca por leche de vegetal es bastante sencillo. Puedes usarla de la misma manera, con cereales en el desayuno, para hacer bechamel, para hacer postres, etc. Cambiará un poco el sabor, pero te acabas acostumbrando. Cambia de marca hasta que encuentres la que más te guste, pues el sabor varía considerablemente de un tipo de leche vegetal (si es de avena, de avellanas, de arroz,... -se recomienda evitar la de soja) a otro, y de una a marca a otra.

- Sustituir la mantequilla también es muy sencillo, empleando margarina vegetal. Lee bien los ingredientes, pues algunas margarinas pueden llevar suero de leche o leche desnatada. Si viene enriquecida con vitamina A artificial, ésta puede provenir de aceite de hígado de pescado, mantequilla o yema de huevo. De igual forma, la vitamina D3 se obtiene del aceite de pescado o la lanolina (grasa que contiene la lana de las ovejas).Además la margarina no deberá estar elaborada con aceite vegetal hidrogenado, que produce colesterol y residuos metabólicos.

- Sustituir la nata en la elaboración de platos principales es muy sencillo también, existen natas vegetales en el mercado. Una "nata casera", es la resultante de mezclar anacardos previamente remojados unas 4 horas y escurridos, aceite de oliva virgen y algo de agua. Si quieres hacer "crema de nata agria" para tus recetas mexicanas puedes elaborarla con anacardos o piñones, aceite de oliva virgen y zumo de limón, batiéndolo todo con la batidora eléctrica.

ALIMENTACIÓN VEGETARIANA PARA DEPORTISTAS

Según cuenta Viktoras Kulvinscas en su libro "Nutrición en la Nueva Era", en los deportes de resistencia, se ha reconocido la dieta vegetariana desde hace mucho. Entre los atletas vegetarianos menciona al nadador Johnny Weisflluller, el ganador de múltiples medallas de oro olímpicas, Murray Rose, el corredor Paavo Nusmi, el campeón de lucha George Hackenschmidt y "Mr. América" el luchador Gene Stanlee. En 1956, el nadador Bill Pickering se hizo famoso cruzando el Canal de la Mancha más rápido que cualquiera en la historia. En 1963, el vegetariano Ron Murgatroid barrió una serie de 15 récords sobre bicicleta en Gran Bretaña, etc.

Otros deportistas vegetarianos reconocidos son:

CARL LEWIS

Carl Lewis ha sido uno de los atletas que han dominado la escena deportiva durante dos décadas, ganando nada menos que 17 medallas de oro. Ya era vegano cuando ganó la medalla de oro olímpica en 100 metros lisos. Aunque no fue vegano hasta la mitad de su carrera, él mismo reconoce que su mejor año en la competición fue el primer año que se alimentó de forma vegana. Lewis ha escrito la introducción del libro "Very Vegetarian" de Jannequin Bennett, en el que se incluyen más de 250 recetas sin carne, huevos ni productos lácteos.

MARTINA NAVRATILOVA

Estas son las palabras de la ganadora del torneo de Tenis Wimbledon en nueve ocasiones: El vegetarianismo me ha equilibrado física y mentalmente.

People for The Ethical Treatments of Animals India (PETA India), el mayor grupo de defensa animal a nivel mundial realizó una campaña de anuncios vegetarianos en "The Indian Express" en Pune, la principal ciudad productora de pavo de la India. En ella, la legendaria Martina Navratilova, unos días antes del torneo de Wimbledon, aparece fotografiada con un pavo llamado George, animando a la gente con la frase "Sé parte de una experiencia legendaria: ¡Hazte Vegano!". La recaudación de la campaña por parte de PETA se destinó a sufragar los gastos de los negocios de alimentos vegetarianos en la India, desde los restaurantes vegetarianos de cinco estrellas a los pequeños hoteles familiares vegetarianos y la creciente industria de alimentos vegetarianos preparados.

Martina ha sido vegetariana desde 1993. Durante la sesión de fotos con el pavo George en su casa en Aspen, Colorado, habló de su cambio a una dieta libre de carne:

"Fue una elección filosófica. Me siento mejor como ser humano, me siento más flexible, no necesito dormir tanto y mi piel está mucho mejor. No necesitas comer carne. Es sólo una opción. Ser vegetariano es una opción saludable para ti y para el planeta."

DIETA ORIENTATIVA PARA DEPORTISTAS

- En ayunas: Batido de verduras y frutas (pág. 23)
- Media hora después: Crema Budwig versionada (pág. 25)
- A Media Mañana: Fruta fresca (manzana, pera) y frutas desecadas (dátiles, higos, ciruelas pasas... entre 6-10 piezas).
- Media hora antes de comer: Zumo vegetal hecho con manzana, zanahoria, remolacha roja, perejil y apio.
- Comida:

Primer plato:

Ensalada abundante con hortalizas crudas, hojas verdes, col cruda (roja y blanca), hinojo fresco, remolacha fresca, zanahoria, ajo, cebolla, rabanitos, germinados.

Aliñar con aceite de oliva y levadura de cerveza.

Segundo plato:

- Verduras al vapor, hervidas, salteadas o al horno: espinacas, acelgas, judías tiernas, col, coliflor, brócoli, col, puerros, alcachofas, pimientos, calabacines, berenjenas, etc.
- Carbohidratos (elegir sólo uno): Patatas, arroz integral, pasta integral, mijo, bulgur, quínoa, avena, calabaza, boniato, maíz, lentejas, garbanzos, azuki...

Postre: Manzanas, peras, yogur con melaza, miel, o kéfir de cabra con compota de manzana.
Infusión digestiva: Menta, manzanilla, regaliz, anís, hierba Luisa, etc.

- A Media Tarde:
  - o Batido de leche vegetal (leche de arroz, avena, avellanas, almendras, quínoa...) con gofio o algarroba. Endulzar con miel, sirope de manzana, melaza de cereales o sirope de arce o ágave.
  - o Manzanas y peras al gusto.

- Cena

OPCIÓN 1:

Primer plato:

- En verano: Gazpacho sin pan o ensalada más pequeña que la de la comida aliñada con aceite de oliva y limón o vinagre de manzana.
- En invierno, crema de verduras sin lácteos ni patata. (Ver recetas de cremas de verduras tipo en pág. 40)

Segundo plato:

- Verduras al vapor, hervidas, salteadas o al horno: espinacas, acelgas, judías tiernas, col, coliflor, brócoli, col, puerros, alcachofas, pimientos, calabacines, berenjenas, etc.
- Proteína (elegir sólo una): Huevo cocido o en tortilla, 100 g de requesón, 1 aguacate, champiñones, setas, 12 nueces, tempeh, yogur ó kéfir. Pescado si no es vegetariano y se está en transición.
- Acompañamiento: Pan de centeno con tomate y aceite, o pan integral de centeno y espelta con frutos secos y semillas (ver receta a continuación, en pág. 129).

Postre: Manzanas, yogur o piña fresca (si no se come pan, y especialmente si se toman proteínas animales).
Infusión digestiva: menta, manzanilla, regaliz, anís, hierba Luisa, etc.

OPCIÓN 2:

Fruta dulce de la estación con leche vegetal, yogur, kéfir o requesón con miel, melazas o sirope de ágave o arce.

RECETAS VEGETARIANAS IDEALES PARA DEPORTISTAS

PAN INTEGRAL DE CENTENO Y ESPELTA CON FRUTOS SECOS Y SEMILLAS

250 g de harina integral de espelta
250 g de harina integral de centeno
375 ml de agua templada a unos 40ºC
1 sobre de levadura integral de panadería
1 cucharada de sal marina

1. Templa el agua a 40 grados. Mezcla las harinas con la levadura y la sal.

2. Añade casi toda el agua para ver cómo va quedando la masa. Mezcla bien. Se podrían añadir semillas a la masa si se quiere: pipas de calabaza, nueces, sésamo…

3. Deja la masa fermentar durante al menos dos horas, en un bol tapada, con un paño o film transparente; si es posible cerca de una fuente de calor. Se puede dejar toda la noche.

4. Transcurrido este tiempo, dispón la masa en un molde de tipo plum cake, sobre un papel para hornear, o directamente sobre el papel.

5. Humedece ligeramente las manos y aplana la superficie.

6. Espolvorea la superficie con semillas de sésamo, girasol o amapola.

7. Haz cortes transversales con un cuchillo.

8. Introduce el molde al horno, previamente precalentado a 220 grados, durante 25 minutos, para formar la costra. Transcurrido este tiempo, baja el

fuego a 175 grados y sigue horneando durante 35 minutos.

9. Saca el pan del horno, desmóldalo, y déjalo enfriar sobre una rejilla. Cuando se enfríe, ya se puede comer. Puedes congelar lo que no vayas a consumir. Para descongelarlo, basta con sacarlo la noche anterior.

SANDWICH DE AGUACATE

Con el pan de la receta anterior, prepara un sándwich que contenga: Aguacate, lechuga, tomate, germinados, sal marina, pimienta, y un chorrito de aceite de oliva.

MUSAKA VEGETARIANA

2 patatas
2 tomates pelados en rodajas
2 berenjenas
Sal marina
Aceite de oliva
Bechamel (ya preparada, idealmente hecha con leche vegetal)
Pan rallado
Parmesano rallado (opcional)
Orégano seco

Cuece las patatas, pélalas y córtalas en rodajas.
Fríe las berenjenas cortadas en rodajas finas.
Pela y corta los tomates en rodajas.
Dispón en dos cazuelitas de barro individuales las rodajas de patata, un poco de sal marina, una capa de tomate pelado en rodajas, otra pizca de sal y una capa de berenjena.

Añade la bechamel.

Espolvorea con pan rallado integral, queso parmesano rallado (opcional) y orégano seco.

Gratinar y servir.

PATÉ TEMPLADO DE CALABAZA CON AJOS Y ORÉGANO, SOBRE ENSALADA DE GARBANZOS O SOBRE SETAS SALTEADAS

Saltea en aceite de oliva más o menos 6 ajos finamente picados por cada kilo de calabaza, que se picará en dados. Añade la calabaza en trozos grandes y tapa el recipiente. Déjalo cocer a fuego muy lento, removiendo de vez en cuando, hasta que se haga una pasta. Haz un majado con ajo, orégano, vinagre y aceite de oliva, y viérteselo a la calabaza minutos antes de apagar el fuego.

BARRITAS ENERGÉTICAS

50 g de semillas de lino

50 g de semillas de sésamo y calabaza mezcladas

Unas gotas de agua para que se mezclen y cuajen las semillas

1 cucharada sopera de miel

Una pizca de sal marina o del Himalaya

Tritura un pelín la mezcla, hasta que queden trozos no homogéneos.

Dispón la mezcla sobre un papel para hornear y extiéndela muy fina con el dorso de una cuchara humedecida. Corta las barritas y hornea hasta que se sequen.

BOCADILLO DE ESPINACAS A LA CATALANA, CON PASAS Y PIÑONES, TOMATE SECO Y HOJAS VERDES FRESCAS

Pan de centeno alemán
1 kg de espinacas, reservaremos unas pocas hojas frescas
50 g de pasas remojadas y escurridas
25 g de piñones
Aceite de oliva
Sal marina
Pimienta negra
4 tomates secos rehidratados en agua y escurridos

Directamente saltea las espinacas, lavadas y picadas, junto con las pasas y los piñones. Salpimentar. Reservar.
Monta el bocadillo disponiendo unos tomates secos en el pan y unas hojas de espinacas frescas.
Pon encima las espinacas a la catalana, otras hojas de espinacas frescas y la tapa del bocadillo.
Los tomates secos hidratados, puestos en el pan, saben como el jamón serrano.

CURRY VEGETARIANO DE "POLLO" CON LECHE DE COCO

2 manzanas peladas y en dados
2 plátanos en rodajas
2 tomates pelados y triturados
2 cebollas trituradas
3 cucharadas de curry
1 bote de leche de coco (sin azúcar)
Un puñado de champiñones (el "pollo") en juliana

Un fondito de aceite de oliva (si puede ser de sésamo, mejor, pero no es necesario)

Sofríe los champiñones en el aceite. Añade la cebolla y, cuando esté transparente, el tomate.
Al cabo de 5 minutos, añade el curry y mézclalo bien. Cuando esté bien tostado, añade la leche de coco y las frutas. Déjalo cocer destapado durante 20 minutos o hasta que los ingredientes estén muy mezclados y casi no puedan diferenciarse. Queda un estupendo color mostaza y verdaderamente impresiona a quien lo come. Decora con unas hojitas de cilantro picado.

CUSCÚS DE VERDURAS

En una cacerola sofríe una cebolla y dos zanahorias picadas. Añade un diente de ajo, una pizca de jengibre y canela en polvo, y rehoga durante un par de minutos. Añade los albaricoques secos en dados y las pasas; un puñado de garbanzos cocidos y un calabacín en dados. Deja cocer durante 10 minutos. Prepara el cuscús añadiendo agua hirviendo sobre un colador que contenga el cuscús. Mejor que sea sémola de centeno que de trigo. También puedes utilizar quínoa o arroz integral, cociéndolo en el doble de agua que su volumen. Remueve para que no se apelmace. Dispón un lecho de cuscús y sirve las verduras sobre él. Espolvorea por encima con cilantro fresco picado.

MOJITO SIN ALCOHOL

Frota el borde del vaso ancho con un trocito de lima. Coloca una rodaja de lima dentro del vaso. Machaca en un mortero: 3 hojas de hierbabuena y 2 cucharadas de azúcar moreno. Añade hielo picado hasta llenar el vaso
Añade zumo de limón y agua con gas a partes iguales hasta llenar el vaso.

ALIMENTACIÓN VEGETARIANA Y ANCIANOS

Si la persona puede retardar las enfermedades crónicas y la incapacidad física, vivir independiente y activamente, y gozar de la vida, se ha cumplido el blanco de una vejez de éxito. Las enfermedades crónicas y la incapacidad física pueden aplazarse manteniendo un peso adecuado desde los veinte años, eligiendo alimentos ricos en antioxidantes, haciendo ejercicio regularmente y siguiendo una alimentación equilibrada, sin excesos, frecuente pero no excesiva y basada en alimentos fáciles de digerir y asimilar. El vegetarianismo es una forma sencilla de conseguir estos propósitos.

RECETAS VEGETARIANAS DE LA ABUELA, IDEALES PARA LOS ANCIANOS

COCIDITO VEGETARIANO DE VERDURAS

Cocina durante 35 minutos los siguientes ingredientes, bien picaditos:
125 g de zanahorias
150 g de espinacas
100 g de puerros o cebollas
1 diente de ajo
150 g de calabaza
Una cucharada de algas arame
800 ml de agua

A la hora de servir, añade una cucharadita de miso no pasteurizado a cada plato. El miso debe diluirse bien y directamente en el plato, nunca en el cocido, pues no debe hervir, ya que esto mataría sus fermentos.

GARBANZOS GUISADOS A LA VEGETARIANA

Cocina durante 35 minutos los siguientes ingredientes, bien picaditos:
Una cebolla
Un diente de ajo
Un tomate natural pelado
400 g de garbanzos previamente remojados con agua caliente durante 12 horas
Una hoja de laurel
Una cucharadita de comino en polvo
Una tira de alga kombu
250 ml de agua caliente

A la hora de servir, añade una cucharadita de miso no pasteurizado a cada plato. El miso debe diluirse bien y directamente en el plato, nunca en el cocido, pues no debe hervir, ya que esto mataría sus fermentos.
Espolvorear por encima perejil fresco picado.

MIGAS DE MANZANA

Para 1 ración:

1 manzana en daditos pequeños
Una pizca de canela
Una pizca de clavo molido (no pasarse)
Una pizca de nuez moscada
100 g de copos de avena
50 ml de aceite de oliva virgen
Una pizca de sal marina
Un chorrito de miel

Mezcla todo en un recipiente para horno y hornea a 175 ºC hasta que queden rizaditas y las manzanas suaves. Presenta en un cuenco con una quenelle de nata montada vegetal encima.

Se sirve templado. Delicioso como desayuno, merienda o postre si has comido ligero, por ejemplo, detrás de una ensalada.
También se podrían hacer migas saladas con otras frutas como calabacín, pimiento rojo y amarillo, calabaza... en este caso omite la miel y cambia las especias por otras más adecuadas: Pimentón, orégano, ajo...

ARROZ CON LECHE

1 litro y medio de leche vegetal de avellanas
(si se quiere muy cremoso, sustituir 400 gr de leche de avellanas por nata vegetal)
200 g de arroz basmati integral
La piel de un limón ecológico
Una rama de canela
230 g de azúcar integral
70 g de margarina vegetal no hidrogenada
Canela en polvo al gusto para decorar

Cuece a fuego medio todos los ingredientes excepto el azúcar y la margarina, durante 45 minutos y sin parar de remover.
Añade el azúcar y la margarina y continúa cociendo y removiendo 10 minutos más.
Se sirve en moldes redondos individuales de barro, espolvoreando por encima con canela molida.

LECHE FRITA

Para la masa:
1 litro de leche vegetal de avellanas
150 g de harina integral de centeno
150 g de azúcar integral
1 cucharadita de maicena
2 cucharaditas de canela en polvo
Una pizca de sal marina atlántica

Para el rebozado:
Mezcla a partes iguales harina integral de centeno con avellanas trituradas
Huevo batido
Aceite de oliva para freír
Canela en polvo al gusto para decorar
Cacao en polvo al gusto para decorar

Pon todos los ingredientes de la masa en un cacerola y cuece a fuego medio sin parar de remover durante unos 10 minutos.
Pon la mezcla a enfriar en una fuente rectangular grande, de forma que quede una capa del grosor de un dedo más o menos.
Cuando esté fría, se parte en cuadrados.
Pasa los cuadrados por la mezcla de harina integral de centeno y avellanas trituradas, y después por huevo batido.
Fríe los cuadrados en aceite de oliva bien caliente, hasta que estén dorados.
Espolvorea algunos cuadrados de leche frita con azúcar integral y canela, y otros con azúcar integral y cacao en polvo.

ALIMENTACIÓN VEGETARIANA PARA PERSONAS MUY ESTRESADAS

El estrés o la tensión emocional o intranquilidad de ánimo, responde a una situación externa que la persona percibe como una amenaza, ya sea real (fallecimiento de un ser querido, separación, pérdida de trabajo, acoso en el trabajo, ruina económica, jubilación...) o imaginaria. Aunque un cierto grado de estrés es normal y necesario para adaptarse al entorno en continuo cambio, el exceso produce un desasosiego característico que es el causante de muchas enfermedades. Puede ir asociado a dolor de cabeza, apatía, mal humor, aislamiento social...

Con la alimentación vegetariana, las personas podemos seguir una dieta natural que ayuda a disminuir nuestro nivel de estrés. Se trata de una dieta natural escogiendo las plantas como base:

- La vitamina B (arroz integral, avena, lentejas, nueces, germen de trigo) y el magnesio (pipas de girasol, almendras, avellanas, germen de trigo) que contienen los alimentos puede ayudar también a reducir el estrés.

- Antioxidantes, porque el estrés oxida y envejece. Los antioxidantes eliminan los radicales libres de nuestro organismo, que son producto de la oxidación celular. Eliminan microorganismos patógenos pero si existen en exceso, alteran el ADN celular e impiden la renovación de las células o su buen funcionamiento.

Alimentos oxidantes (a eliminar)

- Tóxicos: Drogas, tabaco, alcohol;

- Productos químicos: Conservantes, colorantes, nitritos, nitratos, sulfitos o sulfatos... presentes en embutidos.
- Alimentos animales: Especialmente los que sean muy ricos en grasas saturadas (carnes), especialmente si los animales han sido alimentados con productos adulterados y tratados con químicos: hormonas, antibióticos...

Alimentos antioxidantes (recomendados)

- Frutas, especialmente mandarinas, limones, pomelos, higos, melocotones, tomate, aguacate.
- Verduras, especialmente zanahorias, espinacas, albahaca, calabaza, ajo, patata, espárragos, lechuga, apio.

RECETAS VEGETARIANAS IDEALES PARA PERSONAS MUY ESTRESADAS

CRUJIENTE DE VERDURAS Y FALSO QUESO CON VINAGRETA

1 paquete de pasta filo, pasta china o pasta brick
Margarina vegetal no hidrogenada para pintar la masa

Para el relleno:
100 g de calabacín sin pelar, cortado en juliana
50 g de cebolla, bien picadita
100 g de repollo, en juliana
100 g de zanahorias, en juliana
100 g de de levadura de cerveza en copos
Sal marina atlántica
Pimienta negra molida

Para la vinagreta:
El triple de aceite de oliva que de vinagre balsámico y sal marina atlántica al gusto.

Cuece las verduras al vapor, salpimienta y deja escurrir sobre papel de cocina. También puedes preparar esta receta con las verduras crudas.
Toma una lámina de pasta, píntala por ambos lados con la margarina vegetal y rellénala como sigue: Primero una capa de verduras, luego levadura de cerveza en copos, y luego otra capa de verduras.
Cierra el paquete en forma de cuadrado, aplastándolo y sellando bien los bordes con agua para que no se salga el relleno.
Hornea a 200º durante unos 10-12 minutos, hasta que esté bien dorado.
Mezcla los ingredientes de la vinagreta y sírvela en un cuenco al lado.

ALIMENTACIÓN VEGETARIANA Y ARTRITIS

Los alimentos más recomendados para las personas que padecen de artritis son los siguientes:

Grosellas
Puerro
Coco
Chucrut
Alimentos crudos ricos en enzimas, como frutas frescas, germinados y fermentados
Coles y verduras crucíferas ricas en azufre

Deben eliminarse todos los alimentos que produzcan residuos metabólicos en su digestión, como por ejemplo la carne, el embutido, el azúcar, los lácteos y sus derivados, el trigo y las legumbres, incluida soja, que se podrán tomar germinadas y ocasionalmente.

DIETA VEGETARIANA PARA TRATAR LA ARTRITIS

EN AYUNAS: Zumo de fruta natural de una sola clase, rebajado con agua al 50%: uva, pera, sandía o melón...

MEDIA HORA DESPUÉS, EL DESAYUNO:

-   De ½ a 1 kg de fruta de la estación (cerezas, arándanos, peras, manzanas, melón, sandía, ciruelas, uvas, melocotón, albaricoque, manzanas...) y

- Leche vegetal (no de soja), con uno de los siguientes:

    o   Gofio de maíz y melaza de caña
    o   Copos de avena finos y sirope de arce
    o   Muesli y mermelada natural sin azúcar
    o   Semillas de lino y sirope de ágave

Opcionalmente se puede añadir un plátano troceado.

MEDIA HORA ANTES DE COMER: Zumo vegetal hecho con manzana, zanahoria, remolacha roja, perejil y apio, ó un caldo de verduras depurativo.

CALDO DEPURATIVO TIPO

4 ó 5 cebollas grandes
De 500-750 g de apio
5 litros de agua

Opcional:
1 cucharadita de levadura de cerveza
Ajo al gusto
Perejil al gusto

Condimentar con miso directamente en el cuenco, para que el miso no hierva y pierda su poder depurativo y enzimático.

COMIDA

Primer plato:

Ensalada abundante con hortalizas crudas, hojas verdes, col cruda (roja y blanca), hinojo fresco, remolacha fresca, zanahoria rallada, ajo, cebolla, rabanitos, germinados.
(Evitar tomate, setas, champiñones)

Aliñar con aceite de oliva, lecitina de soja, levadura de cerveza, hierbas. Ni limón ni vinagre.

Segundo plato:

- Verduras al vapor, hervidas, salteadas o al horno: acelgas, judías tiernas, col, coliflor, brócoli, col, coles de Bruselas, puerros, cebollas, alcachofas, calabacines, etc. (Evitar tomate, patata, berenjena y pimiento). Aliñar con aceite de oliva macerado en ajo.
- Carbohidratos (elegir sólo uno): Arroz integral, mijo, quínoa, avena, calabaza, boniato, maíz, pan integral de centeno, legumbres (no abusar y en todo caso germinar antes: lentejas, garbanzos, o azuki).

Postre: Manzanas, peras, leche vegetal (no de soja) con sirope de ágave o compota de manzana.

Infusión digestiva: Menta, manzanilla, regaliz, anís, hierba Luisa, etc.

CENA

En verano:
- Zumo de vegetales
- Ensalada variada pequeña sin tomate
- Fruta dulce de la estación con sirope de ágave

En invierno:
- Caldo de verduras
- Proteína (elegir sólo una):
    o Si se elige la opción ovo-lacto-vegetariana, huevo cocido o en tortilla (nunca frito), pero no más de dos a la semana, siempre ecológicos y de gallinas criadas en libertad
    o Champiñones o setas
    o 12 frutos secos crudos
    o Tempeh
    o Medio aguacate
- Manzanas
- Infusión digestiva: menta, manzanilla, regaliz, anís, hierba Luisa, etc.

ALIMENTACIÓN VEGETARIANA Y COLON IRRITABLE

Es una alteración de la movilidad y de la función intestinal, relacionada con reacciones de estrés y alarma ante los acontecimientos de la vida diaria. Puede causar dolores abdominales y diarrea, siendo su causa la combinación de una alimentación incorrecta (gluten, trigo, leche, marisco, azúcar o medicamentos reactivos), con un estado generalizado de nervios, estrés y/o ansiedad en la persona que lo sufre. Es conveniente seguir una dieta con abundantes hortalizas, especialmente las clorofiladas y amarillentas, fruta, cereales integrales y legumbres; siendo de mucha utilidad realizar un test de alergias e intolerancias alimentarias, y reducir la grasa de la dieta, pues ésta es responsable de contracciones colónicas que podrían empeorar el cuadro. También es muy probable que la persona que padece de colon irritable, deba seguir tratamiento psicoterápico. Su síntoma más fácilmente identificable es la alternancia entre estreñimiento y diarrea, combinado con dolor cólico que sube y baja de intensidad. La persona presenta un estado emocional irritable que a su vez produce irritación en el colon, y que está relacionado con digerir las situaciones del día a día.

Una sencilla forma de aliviar los síntomas del colon irritable, es tomar en ayunas un vaso de agua caliente (no infusión), lo que hará que se relaje la musculatura lisa del estómago y se eviten los dolores cólicos. Además se recomienda tomar a continuación una cucharada sopera de aceite de oliva. Con esto es posible regular el intestino en 3-4 meses.

Si no se cuida puede desembocar en la temida colitis ulcerosa o enfermedad de Chron, que consiste en una alteración inflamatoria crónica del colon, con ulceración, deposiciones en forma de colitis y a veces diarrea sanguinolienta.

Las personas afectadas de colon irritable suelen presentar un aspecto físico bueno, aunque en la palpación abdominal muestran un intenso dolor, especialmente en la zona inferior izquierda, que corresponde al colon descendente. El dolor, de origen cólico, puede aliviarse con la defecación. La persona padecerá diarreas intermitentes que, aunque son indoloras, le causarán sensación de ansiedad y nerviosismo, por la imperiosa y urgente incontinencia fecal.

Realmente habrá que trabajar sobre las causas del trastorno, en lugar de tratar únicamente de paliar sus síntomas. Hay algo que la persona no es capaz de metabolizar en su vida, que no digiere, alguna circunstancia de su vida que queda ahí y le reconcome e irrita internamente. El individuo no consigue adaptarse a su medio psicofísico y social.

La alimentación es una de las causas más comunes que terminan por desencadenar un cuadro de colon irritable. El exceso de ingesta de alimentos cárnicos, lácteos, dulces, azúcar y harinas refinadas, las bebidas frías e inadecuadas, y la comida rápida y basura, acaban produciendo este tipo de reacciones en el intestino. Por ello se recomienda:

- Disminuir la ingesta, comer menos y comer mejor. Es mejor comer menos y más a menudo, que ingerir comidas copiosas.

- Comer despacio, sentado, con tranquilidad y masticando detenidamente los alimentos.

- Eliminar el trigo, aunque sea integral.

- Se recomiendan el arroz, la avena y el centeno, pero con el maíz también habrá que tener cuidado.

- Tomar legumbres con moderación (2 veces a la semana).

- Evitar comidas gaseosas o alimentos flatulentos, y en esos casos condimentar con cominos y tomillo. Estos alimentos son: habas, alubias, legumbres, coles, cebollas, puerros, guisantes, frutos secos...

- La alimentación ideal constaría de limón, arroz blanco e integral, verduras cocidas (judías verdes, calabacín, zanahoria, nabo, calabaza, patatas).

- Si no se es vegetariano al menos eliminar carnes de cerdo, marisco y pescado azul, y tomar la carne roja muy esporádicamente.

- Evitar lácteos y azúcar.

- Los fermentos como el miso, el tempeh, el chucrut, las ciruelas umeboshi, son muy adecuados.

- Suprimir los alimentos que puedan desencadenar la sintomatología: Trigo, café, té, cítricos, tomate, huevos, alcohol, chocolate, especias fuertes, mantequilla, helados,...

- No comer chicle.

- Evitar el tabaco.

Las drogas psicotrópicas y los medicamentos en general se sugiere que sean eliminados o limitados al máximo; tratando a la persona con psicoterapia, hipnosis, flores de Bach, acupuntura, reflexoterapia, ayudándola a relajarse, a ser más positiva y optimista. Las actitudes mentales de shock, desaliento, lamento, tristeza, apatía, inquietud y sobreexcitación, no contribuyen a la mejoría del trastorno.

Podemos ayudarnos de plantas relajantes como la valeriana, el azahar, la melisa, la manzanilla; así como antidepresivos naturales como el hipérico o el litio en oligoelemento, si hay desánimo.

La actividad física regular y moderada, ayuda a eliminar el estrés a la vez que facilita la función intestinal. Se recomienda dedicar 30-40 minutos a estas actividades 3-4 veces a la semana: andar, montar en bicicleta, yoga, tai chi, chikun...

ZUMOS PARA TRATAR EL COLON IRRITABLE

- Manzana y agua a partes iguales.
- Pera y agua a partes iguales.
- Zanahoria y agua a partes iguales.

ALIMENTACIÓN VEGETARIANA Y CANDIDIASIS

La candidiasis es una infección vaginal causada por un organismo fúngico (levadura) llamado Cándida Albicans, presente normalmente en pequeñas cantidades y de forma asintomática en vagina, boca, piel y tracto digestivo. Cuando crece en número y se altera el balance en relación a otros microorganismo de la vagina, comienzan a aparecer los síntomas de picor, dolor al orinar, y flujo espeso y blanco. Pueden aparecer también después de seguir algún tratamiento con antibióticos por otro motivo, o asociado a otras enfermedades como diabetes, VIH, así como durante el embarazo o si se toman anticonceptivos orales.

Alimentos a eliminar:

- Alimentos con levadura: Pan, cerveza, levadura.
- Azúcares: Azúcar, siropes, frutas secas, frutas frescas, comidas procesadas, pasteles, galletas, refrescos, bebidas con gas, mermeladas, productos malteados, leche y derivados (queso, nata, yogur), miel.
- Verduras dulces: zanahoria, remolacha, calabaza.
- Carbohidratos procesados: Pan blanco, pasteles, galletas, salsas, patatas, pasta y arroz blanco. También evitar maíz por ser muy dulce.
- Productos fermentados: Alcohol, salsa de soja, vinagre, escabeches.
- Productos fúngicos: Setas y queso (excepto requesón).
- Carnes procesadas: Panceta, jamón, salchichas, embutido en general.

Alimentos a incrementar su consumo:

- Verduras: Verduras frescas, congeladas o envasadas y caldos de verduras. Las cebollas y los ajos son particularmente beneficiosos.
- Carbohidratos no refinados: Arroz integral, avena, centeno, kamut.
- Legumbres: Guisantes, judías, lentejas, azuki, garbanzos.
- Algunos productos lácteos y huevos, si se elige la opción ovo-lacto-

vegetariana: Huevos, leche vegetal, mantequilla, requesón y yogur natural no azucarado.

- Miscelánea: Semillas, frutos secos crudos, hierbas, especias poco picantes, té de hierbas, aceite de oliva de 1ª presión en frío...

DIETA VEGETARIANA PARA TRATAR LA CANDIDIASIS

DESAYUNO

- Infusión de hierbas: menta, tomillo, salvia, etc.
- Copos de avena integral cocidos en agua mineral y espolvoreado con acidófilus en polvo.

COMIDA

Primer plato:

Ensalada abundante sólo vegetal, con hortalizas crudas: Lechuga, col, lombarda, tomate maduro, apio, rabanitos, ajo crudo, 8 aceitunas negras. Aliñar con aceite de oliva crudo. No usar vinagre, salsa de soja ni suero lácteo.

Segundo plato:

- Verduras al vapor, hervidas, salteadas o al horno: Sobre todo hojas verdes: espinacas, col, acelgas, coliflor, brócoli, endibias. Evitar verduras dulces como zanahoria, remolacha o calabaza.
- Carbohidratos (elegir sólo uno): Arroz integral, mijo, quínoa, avena, patatas asadas o cocidas, una legumbre: lentejas, garbanzos, alubias blancas, azukis,... Salsas: Tomate maduro, tahini, humus, aceite de oliva, paté de olivas...

CENA

- Sopa de vegetales y tomate o caldo de verduras con ajo fresco o vegetales de hoja verde al vapor.
- Ensalada de lechuga, tomate y ajo, aliñada con aceite de oliva crudo (no vinagre).
- Elegir uno: huevo (ni crudo, ni frito), 12 almendras o avellanas, 6 nueces, y si no se es vegetariano o se está en transición, pescado al vapor o cocido sin sal: lenguado o merluza).

Nota: Si no hay mucha hambre, comer sólo lo crudo. Comer el doble de crudo que de cocinado.

RECETAS VEGETARIANAS IDEALES PARA PERSONAS CON CANDIDIASIS

GALLETAS DE KAMUT PARA PERSONAS CON CANDIDIASIS

Para hacer estas galletas se prepara una masa tirando a ligera con harina de kamut, agua, sal marina atlántica y bicarbonato. Se deja fermentar la masa durante una media hora. Después, con ayuda de una cuchara, se van poniendo pegotitos de la masa en una bandeja de horno, sobre papel sulfurizado, separaditos entre si, para evitar que se junten, porque las galletas crecen. Se hornean a 200 grados durante unos 15 minutos. Están más ricas recién hechas.

PAN PARA PERSONAS CON CANDIDIASIS

Es la misma receta de pan de la pág. 129, sólo que en lugar de levadura emplearemos una cucharada sopera de bicarbonato.

ALIMENTACIÓN VEGETARIANA Y ÁCIDO ÚRICO

El ácido úrico es un producto tóxico de desecho resultante del metabolismo del nitrógeno en el organismo. Se elimina principalmente por la orina. La consecuencia del ácido úrico es la gota, que suele aparecer en un cuadro de obesidad, hipertensión e hiperlipidemia.

Cuando una persona padece hiperuricemia o gota se le prohíben los siguientes alimentos: Pescado, marisco, carne, vísceras, grasas, alcohol, café, refrescos de cola... Por eso los vegetarianos suelen tener niveles bajos de ácido úrico.

También habrá que ser cauto con los dulces, las salsas, los lácteos grasos y las verduras que sean ricas en purinas: tomate, espinacas, espárragos, setas, champiñones, puerros, coliflor, rábano...

Los alimentos que se recomiendan son:

- Verduras y hortalizas, especialmente zanahoria, calabacín, calabaza, remolacha, cebolla, ajo, batata, nabo, berro, pepino, achicoria y especialmente el apio crudo en ensaladas.
- Cereales.
- Legumbres con mucha moderación.
- Huevos y lácteos desnatados, si se elige la opción ovo-lacto-vegetariana.
- Frutas, especialmente plátano, uva, higo, pomelo, mandarina, limón, melón y sandía.

Se recomienda beber mucha agua, al menos 2 litros diarios, así como también son muy recomendables las infusiones de las siguientes plantas: harpagofito, ortiga blanca, milenrama, fresno, tomillo, escaramujo, malva, malta y manzanilla amarga.

NOTAS

- Ciertos fármacos pueden desencadenar una crisis de gota en personas con ácido úrico elevado: la aspirina, los complejos vitamínicos (por la vitamina B3, niacina), la penicilina, la insulina, los diuréticos, la ciclosporina (usada en pacientes trasplantados) y la levodopa (usada en pacientes con parkingson).
- Algunos productos alternativos útiles en la hiperuricemia son: grosellero negro, cola de caballo, diente de león, vara de oro, abedul, resverasol, verde de alfalfa, verde de ortiga verde, regaliz.
- Evitar malos hábitos como el tabaco, las comidas copiosas y la comida rápida.
- Evitar los suplementos de vitaminas B y A.
- Abstenerse rigurosamente de beber alcohol.
- Ingerir especialmente alimentos ricos en vitamina c y ácido fólico: moras, cerezas, fresas, uvas, manzanas.
- Evitar fritos, rebozados, empanados, guisos y estofados.
- Evitar especias fuertes: pimienta, pimentón y guindilla.

DIETA VEGETARIANA ORIENTATIVA PARA DISMINUIR EL ÁCIDO ÚRICO

DESAYUNO

En ayunas: Zumo de 1 limón diluido en medio vaso de agua. Ir cada día aumentando un limón hasta llegar a tres y reducir progresivamente. Volver a empezar, etc.

Algunos días pueden tomarse también cerezas.

COMIDA

Primer plato:

Ensalada abundante sólo vegetal, con hortalizas crudas, hojas verdes (espinaca no), col cruda (roja y blanca), hinojo fresco, remolacha fresca, zanahoria rallada, apio, ajo, cebolla, rabanitos, germinados. (Evitar tomate, setas, champiñones)

Aliñar con aceite de oliva, lecitina de soja, levadura de cerveza, hierbas: albahaca, hinojo, comino, estragón, laurel, tomillo, orégano, perejil, mejorana.

Segundo plato:

Verduras al vapor, hervidas, salteadas o al horno: acelgas, judías tiernas, col, coliflor, brócoli, col, coles de Bruselas, puerros, cebollas, alcachofas, calabacines, etc. (Evitar tomate, patata, berenjena y pimiento). Aliñar con aceite de oliva macerado en ajo.

Carbohidratos (elegir sólo uno): Arroz integral, pasta integral, mijo, bulgur, quínoa, avena, calabaza, boniato, maíz, pan integral de centeno. Ni carne, ni legumbres.

Infusión digestiva: Menta, manzanilla, regaliz, anís, Maria Luisa, etc.

MERIENDA

Zumo de limón diluido como en el desayuno. También se aconseja zumo de fresas, de uvas, de apio y de pepino.

CENA

Ensalada variada pequeña o zumo de vegetales.
Tortilla de un huevo con algún vegetal (no más de 5 huevos a la semana). Los otros días sólo una gran ensalada.
Infusión digestiva: menta, manzanilla, regaliz, anís, Maria Luisa, etc.

 Nota: Las comidas pueden acompañarse de pan integral. Beber sólo agua.

RECETAS VEGETARIANAS IDEALES PARA DISMINUIR EL ÁCIDO ÚRICO

ENSALADILLA RUSA VEGETARIANA CON MANZANA

Haz un puré de patatas como en la receta de LOMBARDA CON MANZANA Y PASAS ACOMPAÑADA DE PURÉ DE PATATAS (ver receta en pág. 156).

Haz una mayonesa triturando un buen puñado de piñones con 3 cucharadas de aceite de coco, sal marina, ajo al gusto y agua hasta cubrir los ingredientes.

Zanahoria rallada
Pimiento rojo, picado muy fino
cebolla dulce o cebolleta, picada fina
Aceitunas negras sin hueso, en rodajas
Manzanas Golden, peladas y sin corazón, en rodajas

Mezcla el puré de patatas con la mayonesa, la zanahoria rallada, el pimiento rojo picado fino, la cebolla o cebolleta y las aceitunas.
Dispón encima de las rodajas de manzana.

LOMBARDA CON MANZANA Y PASAS ACOMPAÑADA DE PURÉ DE PATATAS

Para la lombarda con manzana y pasas:
Una lombarda entera de unos 700 g de peso, sin los troncos duros, en juliana
2 manzanas Golden, peladas y sin corazón, en dados
De 2-3 dientes de ajo picados
Aceite de oliva virgen de 1ª presión en frío
250 ml de agua
100 g de pasas sin hueso
Sal marina atlántica
Pimienta negra molida

Para el puré de patatas:
400 g de leche de avena
800 g de patatas peladas y troceadas
Sal marina atlántica al gusto
Pimienta negra molida al gusto
2 cucharadas de aceite de oliva virgen

Para hacer la lombarda con manzana y pasas:
En una olla a presión, saltea las manzanas con los ajos y las pasas.
Añade la lombarda y el agua.
Salpimienta y cuece durante 25 minutos.

Para hacer el puré de patatas:
Cuece las patatas en la leche de avena hasta que estén hechas.
Salpimienta y añade el aceite de oliva.
Tritura y rectifica de sal si fuera necesario.

Con la ayuda de un aparatito para sacar bolas de helado, sirve una bola de lombarda y otra de puré de patata, acompañadas ambas de una abundante ensalada verde de espinacas crudas en juliana, aliñada con una vinagreta hecha con el triple de aceite de oliva que de vinagre balsámico y sal marina atlántica al gusto.

PURÉ DE MANZANA COMO ACOMPAÑAMIENTO DE CUALQUIER PLATO VEGETARIANO DE CEREALES O LEGUMBRES

Manzanas Golden o Reinetas, peladas y sin corazón
El 30% de su peso en agua
Zumo de limón
Sal marina atlántica
Pimienta negra molida

Cuece las manzanas con el agua unos 10-12 minutos.
Añade el zumo de limón, la sal y la pimienta al gusto.
Tritura y sirve.

BROCHETAS DE VERDURAS

Para las brochetas:
1 calabacín entero sin pelar
1 cebolla entera
Champiñones crudos enteros
Tomatitos cereza
1 pimiento verde entero
Palitos de madera para brochetas

Para el macerado:

Mostaza
Orégano
Perejil
1 diente de ajo
Aceite de oliva
Sal marina
Pimienta negra

Haz una salsa más bien líquida con mostaza, orégano, perejil, ajo machacado, aceite de oliva, sal y pimienta.
Corta las verduras en trozos y macéralas en la salsa.
Deja que las verduras se maceren al menos 1 hora.
Ensarta las verduras en los palitos, variando, comenzando y terminando por un pimiento. Hornea y sirve. También se pueden tener ya preparadas a falta de hornear. Es una variante de las verduras a la plancha que tan sosas acaban resultando para los vegetarianos.

ALIMENTACIÓN VEGETARIANA Y DIABETES

La diabetes es un síndrome influido por diversos factores pancreáticos y extrapancreáticos, que se caracteriza por una secreción insuficiente o una acción inadecuada de la insulina.

La glucosa en sangre activa la secreción de insulina, que será imprescindible para que los órganos insulino-dependientes (todos menos el Sistema Nervioso Central y los hematíes) puedan captar la glucosa. Es necesaria la hiperglucemia que tiene lugar tras la ingesta para activar la secreción de insulina.

Es uno de los principales problemas de salud en el mundo, estimándose que la padecen más de 100 millones de personas, especialmente en poblaciones en vías de desarrollo.

Hay dos tipos de diabetes:

- La diabetes tipo I o Diabetes Mellitus Insulino Dependiente (DMID), cuya aparición es más frecuente en la etapa juvenil;

- La diabetes tipo II o Diabetes Mellitus No Insulino Dependiente (DMNID), que suele aparecer en ancianos.

En este caso, se conserva cierta capacidad de secreción de insulina pancreática, a pesar de presentar hiperglucemias o intolerancia a los carbohidratos (o ambas). Hay que tomarla en serio porque se encuentra entre las 7 primeras causas de muerte en los países occidentales.

Cerca del 80%-90% de las personas que padecen DMNID presentan obesidad moderada o intensa, por lo que para tratar este síndrome buscaremos el control del peso y la regularidad dietética.

Se debe consultar a un nutricionista profesional sobre un plan de alimentación individualizado para una persona con diabetes. Desde aquí te recomendaré una serie de acciones hasta entonces. Después de visitar a un nutricionista se recomiendan controles periódicos.

Como el diabético deberá seguir una dieta apropiada para el resto de su vida, lo mejor es que esté informado sobre los alimentos que le son más adecuados y cómo ingerirlos. No existe una dieta diabética única. El diabético deberá introducir una serie de modificaciones en su dieta habitual y en las actividades físicas, con el objetivo de:

1. Alcanzar niveles de glucosa cercanos a la normoglucemia;
2. Lograr niveles óptimos de lípidos (grasas);
3. Ingerir las calorías adecuadas para mantener un peso razonable y, en su caso, embarazo y lactancia satisfactorios;
4. Prevenir, retrasar y tratar las posibles complicaciones como problemas de corazón, arteriosclerosis, problemas de curación de heridas, problemas de visión (cataratas), problemas de riñón, etc.

Datos a tener en cuenta:

- El exceso de sacarosa (azúcar de mesa) se relaciona con algunas patologías de elevada prevalencia como la obesidad y la diabetes, ésta última como consecuencia de un agotamiento pancreático que conlleva una drástica reducción de la secreción de insulina. La fructosa se ha utilizado como sustituto de la sacarosa y de la glucosa en la dieta de los diabéticos porque se sabe que la fructosa no estimula, o muy poco, la secreción de insulina y no requiere de esta hormona para su metabolismo tisular. Sin embargo, su consumo ha de ser moderado, ya que no se conocen bien sus efectos a largo plazo.

- Con el consumo de fibra alimentaria disminuye la velocidad de absorción de glucosa en el intestino en un 10-60%, con respecto a lo que ocurre en ausencia de fibra. Para adultos insulinodependientes el consumo elevado de fibra disminuye los requerimientos de insulina en un promedio del 40%, y para los no insulinodependientes en un 80-100%.

La fibra puede tener efectos de inhibición enzimática en la hidrólisis digestiva de los carbohidratos, con lo que se reduciría la producción de glucosa y su absorción. Además la viscosidad de las soluciones fisiológicas de fibra crea un medio físico que dificulta la absorción intestinal de glucosa.

- Los alimentos de elevado índice glucémico, que es una medida de la velocidad de absorción de los glúcidos, siempre representan problemas para el diabético. Los monosacáridos de la dieta, seguidos de los disacáridos, tienen un elevado índice glucémico. Los índices glucémicos bajos indican una absorción lenta, que se produce sin grandes fluctuaciones de los niveles de glucosa circulante. Los polisacáridos tienen índices de glucosa más bajos, especialmente los almidones ricos en amilosa (es decir, preferiremos féculas a azúcar).

- Se recomiendan 5-6 comidas al día o más para realizar un correcto reparto de la ingesta de glúcidos, de manera que ninguna de las comidas sea demasiado abundante en estos principios inmediatos en relación a las demás. Con esto se persigue aprovechar la limitada secreción de insulina del páncreas: Desayuno, media mañana, comida, merienda, cena y recena.

- Tan importante es el tipo de alimentos que se consumen como su cantidad.

- Deben limitarse los alimentos ricos en colesterol y ácidos grasos saturados: Huevos, carnes, charcutería, lácteos y derivados (leche, nata, mantequilla, helados, quesos), frutos secos, aceite de coco, leche de coco, así como los fritos.

- Los alimentos que la persona diabética debe evitar especialmente son: Azúcar, miel, mermeladas y compotas, caramelos y chicles, leche condensada, bebidas azucaradas y refrescos, frutas en conserva o en almíbar, pasteles, chocolate, bombones, turrones, helados...

- Para que los órganos insulino-dependientes capten la glucosa, se requiere el concurso de las proteínas transportadoras llamadas "GLUT", que se encuentran en el citoplasma celular. El ejercicio físico incrementa las GLUT sin el concurso de la insulina, por este motivo es tan beneficioso el ejercicio físico para los diabéticos.

- Los requerimientos de vitamina C en personas diabéticas son superiores a la media de la población, por lo que deben aumentar la ingesta de alimentos ricos en esta vitamina: Verduras frescas y crudas.

- Debe evitarse el consumo elevado de sal, especialmente en personas con hipertensión arterial.

Una dieta vegetariana rica en fibra, alimentos integrales de absorción lenta, baja en colesterol y ácidos grasos saturados, rica en vitamina C, ..., beneficiará mucho a las personas con diabetes.

FIBRA DIETÉTICA Y ALIMENTACIÓN VEGETARIANA

La falta de fibra en la dieta se puede asociar con inconvenientes tales como diabetes, estreñimiento, cáncer de colon, varices, o problemas del corazón y de las arterias. Para suplementar la cantidad de fibra en la dieta típica de carnes y dulces, muchas personas consumen salvado de trigo, dado que su fibra insoluble ayuda a defecar, aunque lo hace porque irrita la mucosa intestinal. Sin embargo, se sabe que una dieta vegetariana, y sus ingredientes básicos, como son las verduras verdes, los cereales integrales, las legumbres, las hortalizas y frutas, proveen fibra de manera fácil y deliciosa.

Durante los últimos 20 años la fibra dietética ha surgido como uno de los principales factores en la prevención y tratamiento de enfermedades crónicas. La alta ingesta de fibra está asociada con bajas concentraciones de colesterol en la sangre, bajo riesgo de enfermedades coronarias, presión sanguínea reducida, mejoría del control del peso, mejor control de la glucemia, reducción del riesgo de ciertas formas de cáncer y mejora de la función gastrointestinal. Las legumbres, y ciertas frutas y vegetales son buenas fuentes de fibra soluble. La mayoría de los alimentos vegetales son buenas fuentes de fibra insoluble.

Casi todos los individuos pueden aumentar su ingesta de alimentos ricos en fibras si lo hacen gradualmente. El mayor efecto lateral de la alta ingesta de fibra es el incremento de la producción de gas intestinal, el cual disminuye conforme el individuo se adapta a la dieta. Según el individuo aumente su ingesta de fibra, debería también aumentar la ingesta de líquido.

Las dietas de fibra reducen los riesgos de las enfermedades predominantes en la sociedad occidental. La evidencia clínica ha establecido el papel de la alta ingesta de fibra en la reducción de la hiperlipidemia, mejora del control de la glucemia y la sensiblilidad a la insulina en los individuos diabéticos, facilitando la pérdida de peso y la reducción de las necesidades de insulina o de agentes orales en los individuos diabéticos obesos, además del mantenimiento de la salud del tracto gastrointestinal. Se sugiere también una alta ingesta de fibra para prevenir el cáncer de colon. La dieta vegetariana rica en fibra ha demostrado disminuir la presión sanguínea en individuos con ligera o moderada hipertensión.

Se recomienda ingerir suficiente cantidad de fibra insoluble, formada por celulosa y lignina (partes leñosas de las plantas). En frutas (mandarina), cereales (arroz integral), verduras (hoja verde: acelgas, espinacas, así como las coles) y hortalizas (puerros). La fibra favorece el vaciamiento gástrico, acelera el tránsito intestinal, y aumenta el tamaño del bolo fecal; pero su exceso se debe evitar en: Colon irritable, diverticulosis, gastritis y úlcera gástrica.

¿CÓMO SOLUCIONAR LOS MOLESTOS GASES AL INCREMENTAR EL CONSUMO DE FIBRA?

La naturaleza nos provee de plantas que ejercen una benéfica influencia sobre la evacuación de los gases intestinales, las contracciones dolorosas y los calambres de los músculos lisos intestinales. Reducen la sensación de tensión dolorosa y frenan el desarrollo de las bacterias responsables de las fermentaciones. A este grupo pertenecen las plantas con sustancias espasmolíticas, que alivian los calambres: Manzanilla, anís, hinojo, enebro, menta piperita, salvia, meliloto, comino, hisopo.

La angélica es una buena planta carminativa, su principal propiedad son los problemas y dolores digestivos de origen nervioso, es eupéptica, digestiva y muy carminativa porque el aceite esencial se elimina por vía digestiva estimulando la salida de gases. Se recomienda preparar una infusión con 40 gr/l, y tomar una taza después de las comidas.

Las plantas ricas en aceites esenciales ejercen una acción antiséptica que disminuye las fermentaciones y la consiguiente formación de gases. Deben tomarse durante o después de las comidas:

Hinojo, anís verde, anís estrellado, alcaravea, comino, cilantro, albahaca, hisopo, menta, orégano, mejorana, melisa.

DOS INFUSIONES TIPO PARA LOS GASES

20 g de anís, 20 g de comino, 20 g de coriandro, 20 g de hinojo, 20 g de hierbaluisa.
Infundir 5 g en 100 ml, tomar 2-3 tazas/día, después de las comidas.

10 g de amapola, 20 g de rabo de gato, 20 de manzanilla, 10 g de pasiflora, 20 g de anís, 20 g de hinojo.
Infundir 5 g en 100 ml, tomar 2-3 tazas/día, después de las comidas.

RECETAS VEGETARIANAS RICAS EN FIBRA

TOSTAS DE BERENJENAS CON PIMIENTOS DEL PIQUILLO

Ponemos una berenjena grande pelada a asar. Hazle algunos cortes transversales para que se ase antes. Unos 20 minutos más tarde o cuando esté asada, la batimos junto con dos cucharadas soperas de pimientos del piquillo, sal marina, pimienta y un chorrito de aceite de oliva.
Reservamos a temperatura ambiente hasta media hora antes de consumir. En ese momento prepara las tostas sobre pan integral de centeno, con una ramita de perejil fresco por encima.

AJO BLANCO MALAGUEÑO

Bate los siguientes ingredientes:
2 panes wasa original de centeno remojado en agua y escurrido
250 g de almendras remojadas en agua y escurridas
Ajos
Sal marina
Vinagre de manzana

Luego añade aceite de oliva poco a poco e ir montando como si fuera una mayonesa.
Añade agua hasta que quede una crema fina, según el gusto personal.
Colar y servir bien frío acompañado de uvas peladas.

PURÉ DE COLIFLOR

Cuece una coliflor y un puerro en caldo vegetal; y añade una pizca de sal, de pimienta, y de comino, así como un chorreón de aceite de oliva.
Bate la crema con ayuda de la batidora eléctrica y, si es necesario, pásalo por un pasapurés. Queda muy cremosa.
Decora con pimentón y comino, y un chorrito de aceite de oliva.

BERENENAS CON SALMOREJO

Para el salmorejo:
100 g de piñones crudos o 1 aguacate
200 g de tomates cereza muy rojos
Medio diente de ajo o un cuarto de cebolla roja
Medio pimiento rojo
Sal marina
Vinagre de umeboshi al gusto
Aceite de oliva virgen de 1ª presión en frío

Tritura todo junto menos el aceite con la ayuda de la batidora o thermomix. Emulsiona con el aceite de oliva incorporándolo en un hilo fino mientras no se deja de batir.

Si se desea, se puede ajustar la consistencia con agua pura filtrada (más en el caso en que se usen piñones que si se usa un aguacate, en cualquier caso, este paso es opcional).

Se sirve muy frío sobre las rodajas de berenjena fritas en aceite de oliva bien caliente.

TARTA DE MANZANA Y BATATA

Cubre con agua 3 manzanas peladas y 1 kg de batatas en una olla.
Cocina hasta que estén tiernas.
Cuando estén tiernas las cortamos en rodajas no muy finas y las distribuimos por capas en un molde de tarta, junto con medio vaso de azúcar integral y canela espolvoreada alternativamente.
Le vertemos por encima margarina derretida y lo introducimos en el horno durante 20 minutos.
Decora con una hojita de menta.

ALIMENTACIÓN VEGETARIANA Y OSTEOPOROSIS

Como ya hemos visto, la salud puede entenderse como el equilibrio entre todos los sistemas y las funciones del cuerpo. Químicamente, la sangre humana ha de mantener un ph neutro, referido a la concentración de iones hidrógeno (H+), resultado de la relación entre sustancias ácidas y alcalinas. El aporte de los minerales guarda una estrecha relación con la acidez o alcalinidad de los alimentos. El ph del cuerpo humano es de 7,2. Disminuye con una alimentación en la que predominen los alimentos ácidos, y aumenta si se ingieren alimentos alcalinos.

Los alimentos principalmente alcalinizantes son las hortalizas verdes, las verduras y frutas frescas, y las algas marinas.

Un alimento muy neutro es el arroz integral, por ello se recomienda tanto, además de que es un alimento muy completo en cuanto a su cantidad de fibra, hidratos de carbono, proteínas, y vitaminas del grupo B, no dejando residuos metabólicos al ser ingerido.

Los alimentos que actúan como acidificantes son las carnes, los embutidos, el pescado, los huevos, el queso, las grasas animales, el aceite vegetal refinado, el pan blanco, la harina refinada, las pastas, la repostería, las alubias, las lentejas, la soja, el arroz blanco, el azúcar refinado, las jaleas, el chocolate, los caramelos, las mermeladas, confituras y frutas confitadas, los frutos secos, el café, el cacao, el alcohol y la nicotina.

Es fácil deducir que con la alimentación que se sigue en la actualidad, el ph de la sangre tenderá a ser inferior a 7, es decir, habrá exceso de acidez. En este estado de hiperacidificación, el organismo empieza a fabricar tampones equilibradores, compuestos de reservas de precursores de minerales alcalinizantes: Sodio, potasio, calcio, magnesio, hierro. Con estos tampones el cuerpo humano utiliza sus reservas de estos minerales para neutralizar el exceso de ácidos, pudiendo llegar a agotar las reservas de dichos minerales, y producir una desmineralización del organismo.

La publicidad nos exhorta a beber "mucha leche" para tener "mucho calcio", pero se olvidan de que la ingestión de un alimento, no implica la absorción de sus nutrientes por parte del organismo. En el caso de la leche, el exceso de proteína animal que conlleva, produce un exceso de acidez en el organismo, que ha de ser neutralizada con un sistema tampón. Por ello, no es de extrañar que los estudios sobre osteoporosis muestren que las personas que más lácteos consumen, son las que presentan tasas mayores de osteoporosis.

De igual modo, además de la sustancia ósea, se extraen minerales de las capas del cartílago articular, favoreciendo la artrosis. Por ello podemos encontrar una causa en la dieta que relaciona ambos padecimientos: osteoporosis y artrosis.

Las causas de la desmineralización no se quedan sólo ahí, sino que también se disminuye la función de todos los tejidos y órganos. Las mucosas de las vías respiratorias se tornan débiles y en ellas anidan gérmenes que provocan constantes infecciones como gripe, bronquitis, sinusitis... además las sustancias extrañas como el polvo o el polen, provocan reacciones alérgicas.

La piel se seca y agrieta apareciendo eczemas. Las superficies articulares son atacadas por los ácidos y por los residuos acumulados en ellas. Por eso los cartílagos pierden elasticidad y predisponen al individuo a padecer hernias discales, ciática por compresión de los nervios de la zona, etc.

La osteoporosis es una patología caracterizada por la disminución de la masa ósea y el aumento de la fragilidad del hueso, multiplicándose el riesgo de fracturas e invalidez. Afecta aproximadamente al 30% de las mujeres postmenopáusicas. No sólo la ingesta de calcio sino también otros factores dietéticos como los mencionados anteriormente, la acción de diferentes hormonas y la actividad física, serán determinantes en la utilización y el metabolismo del calcio, así como en la masa ósea alcanzada.

El ejercicio físico regular durante la adolescencia y la juventud es fundamental para alcanzar, conservar y mantener el nivel de masa ósea adecuado. En la edad adulta, se recomienda realizar ejercicio moderado, como podrían ser 2 ó 3 paseos semanales de 45 minutos. Por contra, el ejercicio físico extenuante, el estrés y la ansiedad, producen el efecto contrario.

El tabaco, el alcohol, el chocolate y la cafeína aumentan la eliminación de calcio por la orina, por lo que estos tres ítems pueden estar implicados en el desarrollo de la osteoporosis. De modo similar, la ingesta excesiva de grasa saturada (carnes, embutidos, huevos, pescado, lácteos), producen una disminución de la absorción de calcio en la dieta.

Se recomienda la ingestión de alimentos vegetales ricos en calcio, como algas, sésamo, tahini, y almendras (ver tabla comparativa en pág. 98); así como evitar alimentos ricos en ácido fítico (salvado de trigo) y oxálico (espinacas, acelgas, remolacha, cacao), pues ambos grupos de alimentos pueden inhibir la absorción del calcio.

RECETAS VEGETARIANAS RICAS EN CALCIO

CARPACCIO DE TOMATES E HIGOS SECOS

Dispón sobre una fuente y en rodajas finas de 2 tomates maduros.
Tritura 4 higos secos, previamente remojados durante 10 minutos en 100 ml de agua, junto con su agua de remojo, una cucharada sopera de aceite de oliva y otra de vinagre de umeboshi. Si no tienes vinagre de umeboshi puedes sustituirlo por vinagre de manzana o, en última instancia, por zumo de limón.
Extiende la mezcla de los higos sobre los tomates, y espolvorea sal marina y pimienta negra recién molida por encima del conjunto.
Decora con higos secos picados.

ENSALADA DE ALGAS HIZIKI CON SALSA JAPONESA

Pon a rehidratar el alga hiziki en agua pura filtrada. Aparte prepara:

Salsa japonesa:

250 ml de agua (puedes aprovechar el agua de remojo del hiziki si pudiste ponerlos en remojo por la mañana)
125 g de calabaza
100 ml de zumo de limón
125 g de cebolla
100 g de tahini
50 g de jengibre
1,5 cucharadas soperas de salsa de soja sin pasteurizar
2 cucharadas de miel

Espinacas para presentar el plato.

1. Tritura bien todos los ingredientes menos la calabaza hasta conseguir una

textura uniforme. En ese momento añade la calabaza, boniato o ñame y tritura un poco más, pero mantén una textura ligeramente no homogénea.

2. Escurre los hizikis si no estuvieran ya escurridos, dispón en un aro redondo y rocía con la salsa japonesa por encima.

3. Saca el aro y presenta al lado un bouquet de espinacas.

RELLENO DE VERDURAS CREMOSAS

Utilízalo para rellenar cualquiera de los siguientes:
Un pepino o un calabacín ecológico vaciados y pelados de forma que queden tiras verticales alternas con y sin piel; o bien un pimiento verde o rojo; o un tomate.

Para la crema:
300 g de (elegir una de las siguientes opciones): queso quark, leche de coco, yogur cremoso de cabra, nata vegetal cremosa, tofu blando estilo japonés, o anacardos remojados unas 4-6 horas y escurridos)
2 cucharaditas de mostaza
Sal marina atlántica
Pimienta negra molida

Para el relleno:
1 cebolla, bien picada
1 diente de ajo, bien picado
Un trocito de pimiento rojo, bien picado
Un trocito de pimiento verde, bien picado

Para decorar:
Un manojo de berros, canónigos o de rucula

Vacía el pepino, calabacín, pimiento o tomate elegido para ser rellenado.
Reserva la pulpa.
Aparte, mezcla bien los ingredientes de la crema. Reservar.
Mezcla los ingredientes del relleno con la crema y la pulpa picada, con movimientos envolventes.
Rectificar de sal.
Con ayuda de una cucharilla, rellena la verdura elegida con la mezcla anterior.
Servir los rellenos adornados con hojas de berros, canónigos o rúcula por encima.

ALIMENTACIÓN VEGETARIANA, COLESTEROL Y TRIGLICÉRIDOS

El colesterol es una grasa fundamental para el organismo, que forma parte de las membranas de las células y regula su elasticidad. Gracias a él, se forman las hormonas sexuales y los ácidos biliares.

Los triglicéridos son utilizados para producir energía.

Su excedente se almacena en el tejido adiposo, y existe el riesgo de que se deposite en las paredes arteriales y se produzca accidente vascular, infarto... a lo que contribuyen los efectos de los radicales libres.

Ambos excesos junto con una presión arterial elevada, son considerados como la primera causa de mortalidad en el mundo, y que viene siéndolo desde la Segunda Guerra Mundial, fecha en que:

- Los aceites comestibles comenzaron a refinarse, lo que los inutiliza para la reducción del colesterol.

- Comenzaron a consumirse cereales refinados (por ejemplo arroz blanco en lugar de arroz integral), con lo que el aporte de magnesio es insuficiente para impedir que se deposite el calcio en las arterias.

- Aumentan los contaminantes con los que nos relacionamos, con lo que los requerimientos de vitaminas y antioxidantes incrementan. Como no sólo no los hemos aumentado sino que los hemos disminuido al refinar nuestra alimentación, se producen más daños causados por los radicales libres.

- El consumo de grasas ha aumentado de forma considerable, especialmente grasas saturadas.

Las recomendaciones nutricionales que podemos hacer para paliar los efectos de lo anterior son:

- Apoyarnos en los alimentos curativos: Ajo, cebolla, limón, aceite de oliva virgen extra, aceites vírgenes de semillas (girasol, maíz, pepita de uva), lecitina de soja, frutas ricas en vitamina C, alimentos con elevado contenido en magnesio (pipas de girasol, sésamo, anacardos, levadura de cerveza).

- Evitar los siguientes alimentos: Carne de cerdo, grasas animales, conservas, embutidos, mariscos, fiambres, chocolate, cacao, café, alcohol, tabaco, fritos, sal, azúcar refinado, harinas refinadas, quesos grasos, lácteos sin descremar.

Conclusión:

Una vez más, la dieta vegetariana nos da la respuesta. No nos referimos a un menú vegetariano con ausencia de carne y pescado, sino a un régimen de vida acorde a la naturaleza. Los vegetarianos también podemos abusar de alimentos refinados, alcohol y de otros contaminantes como el tabaco. De lo que se trata no es sólo de acercarse a la alimentación vegetariana como una forma de evitar las grasas animales, sino como una forma de vida más armoniosa y saludable, basada en los principios de pureza y bienestar.

Para los vegetarianos se sugiere la tendencia a disminuir el consumo de alcohol, tabaco, alimentos refinados y azúcar blanca, procurando elegir en la medida de lo posible alimentos biológicos, algunos crudos y otros cocinados suavemente, sin abusar de fritos.

RECETAS VEGETARIANAS IDEALES PARA DISMINUIR EL COLESTEROL

PICO DE GALLO

Pica en dados un tomate pelado, un mango, y un aguacate.
Añade media cebolleta bien picadita.
Aliña con zumo de lima, aceite de oliva, sal marina y cilantro fresco picado.

GUACAMOLE

Tritura bastamente dos aguacates con media cebolla, un tomate, el zumo de un limón, aceite de oliva al gusto y sal marina. Presentar en una fuente rectangular, acompañado de un bouquet de mezclum.

ENSALADA HORIATIKI

En la ensaladera de presentación dispón:
Media lechuga en trozos grandes,
2 tomates en cuartos
Medio pepino pelado y en rodajas
Media cebolla en rodajas
Medio pimiento verde en rodajas
3 cucharadas de aceitunas negras
1 cucharadita de sal marina
1 cucharada de vinagre
2 cucharadas de aceite de oliva
100 g de queso feta cortado en dados

Las proporciones de esta receta están reguladas por el gobierno griego, si un restaurante sirve esta ensalada con las proporciones incorrectas, puede ser multado. "Soy vegetariano" en griego se dice:"Ime hortofagos".

ENSALADA DE ESPINACAS Y NUECES

Una bolsa de espinacas frescas lavadas, sin rabito

Para la salsa:
4 cucharadas de aceite de oliva virgen
1 cucharada de margarina vegetal no hidrogenada
1 cucharadita de mostaza
Un puñado de nueces

ANTIPASTO A LA GRIEGA

Saltea una ramita de apio en aceite de oliva.
Añade dos calabacines cortados en dados y una cebolla muy bien picada.
Cuando la cebolla esté transparente, añade una cucharada sopera de salsa de tomate diluida en un vaso de agua, 6 hojas de albahaca, medio vaso de vino blanco, un puñado de pasas y el zumo de un limón.
Sazona y cocina durante 30 minutos.
Preséntalo en una cazuelita acompañado de pan de pita.

ALIMENTACIÓN VEGETARIANA Y SISTEMA INMUNE

Se recomienda eliminar de la dieta los siguientes alimentos para que el organismo expulse al menos parte de las toxinas acumuladas:

- Alimentos de origen animal: Carnes grasas (especialmente cerdo), caza, menudillos, callos, riñones, sesos, embutidos, manteca de cerdo, mantequilla, nata, leche, quesos, helados, sardinas y otros pescados grasos, caracoles, mariscos, crustáceos; y disminuir el consumo de huevos, mayonesa y alimentos enlatados en general.

- Alimentos de origen vegetal: Café, té, zumos de frutas endulzados, azúcar blanco, sal común, y disminuir el consumo de frutos secos (y tomarlos sólo crudos), cacao, especias y condimentos fuertes.

- Varios: Salsas picantes o muy condimentadas, golosinas, pasteles, chocolate, helados, sodas, colas, licores, alcohol y tabaco.

Medidas generales para tener en cuenta:

- No comer nada frito, sino crudo, a la plancha, cocido o al horno.
- Utilizar limón o vinagre de manzana, de sidra o de umeboshi como aliño.
- Comer despacio y con moderación, masticando a conciencia.
- Beber dos litros de líquido al día fuera de las comidas: Agua, infusiones depurativas, zumos.
- Evitar tensiones y estrés durante la comida.
- Reposar de 15 a 30 minutos después de la comida.
- Tomar la fruta separada de las comidas.

- Comer pan integral ecológico, mejor de centeno que de espelta o de trigo.
- Tomar alimentos naturales, integrales y ecológicos.
- Realizar la última comida del día al menos 2 horas antes de irse a la cama.
- Eliminar lácteos o consumirlos solamente fermentados (yogur, kéfir).
- Eliminar alimentos de origen animal, especialmente: carnes grasas (sobre todo cerdo), caza, menudillos, callos, riñones, sesos, embutidos, mantequilla, nata, leche, quesos fuertes, manteca de cerdo, sardinas y resto de pescados grasos, caracoles, mariscos, crustáceos, huevos, mayonesa, alimentos animales de lata.
- Eliminar los siguientes alimentos de origen vegetal: café, té, zumo de fruta endulzado, azúcar blanco, sal común, frutos secos tostados (tampoco abusar de los crudos), cacao, especias y condimentos fuertes.
- Eliminar también los siguientes: salsas picantes muy condimentadas, golosinas, pasteles, chocolate, helados, bebidas carbonatadas, bebidas de cola, alcohol y tabaco.

LA CURA DE LIMÓN

Para observar a la vez que se siguen las indicaciones anteriores:

Comenzar tomando el zumo de un limón (puro, sin nada de azúcar ni agua) el primer día e ir aumentando uno por día hasta llegar a diez, es decir, el décimo día se debe tomar el zumo de diez limones.

A continuación, bajar gradualmente hasta llegar nuevamente a uno, esto quiere decir que en el undécimo día se toman nueve, en el duodécimo ocho y así sucesivamente hasta llegar el vigésimo día con uno.

Es posible que cuando se realiza una cura de limón, aparezcan granitos en la piel. Es una señal de que se está purificando la sangre y eliminándose las sustancias tóxicas de nuestro organismo.

La mejor manera de tomar limón mientras esta cura se realiza, es succionarlo con una pajita para proteger el esmalte dental.

RECETAS VEGETARIANAS IDEALES PARA MEJORAR LA INMUNIDAD

YOGUR CON AJO Y PEPINO (TSATSIKI)

Un yogur griego super cremoso escurrido
Medio diente de ajo
Medio pepino sin pepitas (la parte menos acuosa)
1 cucharada de aceite de oliva
Media cucharada de vinagre de manzana
Sal marina
Pimienta negra
Aceitunas negras
Cebollino picado
Pan de pita

Escurre bien el suero del yogur. Pela el pepino y elimina las semillas y toda la parte acuosa utilizando el saca corazones de una manzana.
Mezcla el yogur escurrido con la parte menos acuosa del pepino y el ajo.
Sin parar de batir, añade el aceite y el vinagre. Añade sal y pimienta negra.
Se sirve como aperitivo, acompañado de aceitunas negras.
Decora con cebollino picado y acompaña con pan de pita.
Aunque es un plato griego queda como si fuese gazpacho de yogur.

SALSA DE FRUTOS DEL BOSQUE

Cuece en la sartén un paquete de frutos del bosque ecológicos congelados, con sirope de ágave y vainilla en polvo, a fuego lento, y durante unos veinte minutos, hasta que la salsa se espese.

Con esta salsa puedes mejorar unos copos de avena remojados en agua, untarla sobre rebanadas tostadas de pan de centeno, o acompañar un yogur o kéfir.

Los frutos rojos tienen propiedades antioxidantes, antiinflamatorias y anticancerígenas, además de ser idóneos para mejorar la visión nocturna.

DIETA VEGETARIANA DEPURATIVA PARA LA PRIMAVERA

La primavera es una buena época para hacer una dieta depurativa e ir preparándonos para una temporada de sol y buen tiempo, en la que los alimentos que hemos de incluir en nuestra dieta diaria deben ser menos concentrados. Es el momento de comer más fruta y más alimentos crudos. Te propongo hacer una dieta vegetariana depurativa muy sencilla, que a tu cuerpo le va a sentar muy bien. Sólo dura una semana y no cuesta nada seguirla porque no hay cantidades máximas.

Al finalizar la semana te encontrarás con ganas de seguir alimentando a tu cuerpo de esta forma tan ligera.

Esta dieta es genérica y está indicada a personas que no tengan ningún problema de salud. Habrá que estudiar el caso concreto de cada uno y adaptarla, aquí se da una orientación, pero cada uno es quien mejor se conoce.

Lunes

- Desayuno: Piña y fresas.
- Comida: Brócoli hervido aliñado con aceite de oliva virgen y un poco de sal marina, acompañado por una rebanada de pan de centeno tostada.
- Cena: Manzana y ciruelas.

Martes

- Desayuno: Piña y fresas.
- Comida: Coliflor hervida aliñada con aceite de oliva virgen y un poco de sal marina.
- Cena: Manzana y ciruelas.

Miércoles: Sólo fruta fresca de la estación

Jueves: Ayuno. Nos podemos ayudar con te verde o te rojo sin azúcar.

Viernes: Como el miércoles.

Sábado: Como el martes.

Domingo: Como el lunes.

RECETAS DE ZUMOS DE VERDURAS Y DE FRUTAS

Zumo depurativo básico

Verdura: Una rama de apio, un pepino y un trozo de jengibre fresco de 1 cm.
Fruta: Una manzana verde y un limón o lima.

Zumo verde

Verdura: Dos ramas de apio, un pepino, un puñado de espinacas y un trozo de jengibre fresco de 1 cm.
Fruta: Una pera y medio limón.

Zumo de rúcola

Verdura: Dos ramas de apio, un pepino, un puñado de rúcola y medio pimiento rojo.
Fruta: Una pera y medio limón.

Zumo de pepino

Verdura: Dos ramas de apio, un pepino y medio pimiento rojo.
Fruta: Una pera y el zumo de medio limón.

CÓMO OPTIMIZAR LAS DIGESTIONES

- Rotar los alimentos: Un mismo alimento se puede comer durante todo el día, pero acabado dicho día se deben esperar 4 días para volverlo a tomar.

- No combinar proteínas animales con carbohidratos, por ejemplo huevos con patatas. Con las proteínas vegetales no es necesario evitar siempre esta combinación.

- No tomar zumos de frutas, sino zumos de frutas combinados con verduras o rebajados con agua al 50%.

- No tomar fruta de postre o en combinación con la comida, sino aislada, pues su fermentación en el estómago dificulta la digestión. Puede tomarse fruta de postre si se ha comido una ensalada de vegetales crudos.

- La alimentación vegetariana debe basarse en frutas y ensaladas crudas, verduras cocinadas suavemente, cereales integrales (si es posible), y de vez en cuando algo de legumbres y semillas.

Quizá el aumento de fibra provoca que tengas gases, también puede provocar aumento de la motilidad intestinal e incluso diarrea. Además la fibra en exceso interfiere en la absorción de numerosos nutrientes.
Lo más importante es que se consuman hidratos de carbono en cantidad suficiente, que son los que proporcionan energía al organismo. Las legumbres y algunas verduras (coles de Bruselas, coliflor, lombarda, col) producen más gases que otros alimentos, si sufres especialmente de gases, intenta disminuir su consumo inicialmente (ver infusiones para los gases en pág. 165).

- También otra idea que funciona muy bien es comer despacio, masticando mucho cada bocado... hasta que conviertas lo sólido en líquido, pues recuerda: el estómago no tiene dientes.

ZUMOS PARA LA INDIGESTIÓN

Funcionan en casos de deshidratación, estrés, así como si se ha abusado de mucha comida animal o cocinada. Varias opciones:

- Hacer un licuado de manzanas + peras + verduras verdes, añadir aceite de oliva, mezclar y beber despacio. El aceite de oliva hará que el intestino mejore de forma natural. Tomar 3 - 4 veces al día.
- Tomar un litro de agua + 1 limón por la mañana.
- Tomar en ayunas un licuado hecho con 2 puñados de perejil + un trozo de apio + 2 manzanas + 1 pera. Si la indigestión es muy fuerte, aumentar la cantidad de perejil.
- Media papaya triturada con 125 ml de agua.
- Zumo hecho con dos rodajas gruesas de piña y un mango.
- Zumo de tomate con tres tomates, una rama de apio y un diente de ajo.
- Zumo de zanahoria y ajo, hecho con tres zanahorias grandes y un diente de ajo.

CÓMO TRATAR EL ESTREÑIMIENTO DE FORMA NATURAL

Se aconseja llevar una dieta sino vegetariana, al menos predominantemente vegetariana, compuesta principalmente por cereales integrales, legumbres, verduras y frutas frescas. Estos alimentos aportarán al organismo la fibra necesaria. Si las digestiones son muy costosas, puede ser aconsejable tomar la fibra en papillas de cereales.

• Papilla de cereales integrales: Dejar en remojo la noche anterior 10 g de arroz integral, 10 g de semillas de lino, 10 g de frutos secos (nueces, almendras, avellanas) y 10 g de frutas desecadas (higos, dátiles, pasas, ciruelas). Triturar y tomar a la mañana siguiente.

• Plantas para el estreñimiento: Ciruelas desecadas, lino, llantén, papillas de cereales integrales, sen, aloe vera, cáscara sagrada.

• Cada día, en ayunas, tomar dos kiwis y dos vasos de agua. A los tres días o una semana, si ya se funciona bien, bajar la cantidad de kiwis: ahora tomar sólo uno y medio, y sólo 1 vaso y medio de agua. A medida que se va regulando la función intestinal, se va bajando la cantidad de kiwi y agua hasta llegar a medio kiwi, con lo que se mantendrá una buena temporada, para luego alternar un día sí y uno no, hasta prescindir de él.

• Para ayudar a evacuar intestinos, además de los kiwis, tomar en ayunas agua caliente con limón y aceite de oliva de 1ª presión en frío. El aceite de oliva es un laxante oleoso que lubrica y favorece el tránsito de las heces.

• Seguir una dieta en la que se incluya una gran cantidad de frutas, verduras y hortalizas de temporada y biológicas: 5 piezas de fruta al día, al menos 2 de ellas que sean cítricos. Las frutas son los alimentos reguladores, y contienen vitaminas, minerales, enzimas y oligoelementos.

• Ingerir alimentos completos, sin refinar. Es decir, hidratos de carbono complejos, cereales integrales, porque la cáscara de los cereales contiene fibra.

• Ingerir suficiente cantidad de fibra insoluble, formada por celulosa y lignina (partes leñosas de las plantas). En frutas (mandarina, limón), cereales (arroz integral), verduras (hoja verde como acelgas, grelos, espinacas) y hortalizas (puerros). La fibra favorece el vaciamiento gástrico, acelera el tránsito intestinal, y aumenta el tamaño del bolo fecal. Evitar en: Colon irritable, diverticulosis, gastritis, y úlcera gástrica.

• Se recomienda el empleo de laxantes mecánicos con la dieta, evitando los purgantes o laxantes irritativos del intestino, que producen malestar, acostumbramiento e irritación. Las sustancias pécticas, agar, gomas y mucílagos, se caracterizan por absorber agua, provocando un hinchamiento en las heces, lo que aumenta el peristaltismo y hace que las heces no se endurezcan, provocando la evacuación intestinal.

Pertenecen a este grupo las plantas ricas en mucílagos: Altea, malva, llantén, zaragatona, lino, agar-agar. También ciruelo, malvavisco, liquen de islandia, algarrobo y tamarindo. No poseen contraindicaciones.

El tratamiento del estreñimiento, además de eliminar la causa primaria, debe tener en cuenta los hábitos de vida, instaurar una alimentación apropiada y el consumo de alimentos que sean por sí mismos laxantes.

Deja que el intestino vaya retomando su función de forma natural, no lo fuerces con enemas y mucho menos con laxantes distintos de los naturales (los naturales son, por ejemplo, semillas de lino remojadas y ciruela seca en remojo, ambos tomados en ayunas).

RECETAS VEGETARIANAS IDEALES PARA EL ESTREÑIMIENTO

ZUMOS PARA EL ESTREÑIMIENTO

Hasta 3 vasos de zumo al día. También pueden rebajarse con agua.

- Zumo de 4 tomates, 1 pepino y 8 hojas grandes de espinacas.
- Zumo de 1 manzana, con 2 zanahorias y un manojo de berros.
- Zumo de pera y uvas a partes iguales.
- Zumo de sandía y agua a partes iguales.

RECETAS VEGETARIANAS IDEALES PARA LLEVAR AL TRABAJO

CHAMPIÑONES RELLENOS DE TAPENADE Y ENSALADA A LA ITALIANA

Champiñones

Para el tapenade:
Media rama de apio
El zumo de medio limón
100 g de aceitunas negras deshuesadas
1 pimiento rojo

Para la ensalada a la italiana:
Rúcola
1 manzana ácida (Grany Smith) picada en dados
1 cucharada de aceitunas negras fileteadas
1 cucharada de piñones
5 tomates secos picados
1 cucharada sopera de vinagre de umeboshi
3 cucharadas soperas de aceite de oliva
1 limón

Coloca un bouquet de rúcula en el centro de un plato llano, con volumen.
Dispón alrededor los dados de manzana ácida y rocía con zumo de limón.
Prepara una vinagreta a mano con las aceitunas, los piñones, los tomates secos,
el vinagre de umeboshi y el aceite de oliva.
Aliña con la vinagreta en el momento de servir.
También se pueden macerar unas frambuesas en el vinagre de umeboshi y
triturarlo junto, antes de añadir a la vinagreta.

CREMA/SOPA DE PESTO

Un puñado de piñones crudos
Hojas de albahaca frescas
Queso parmesano o levadura de cerveza
Aceite de oliva
Ajo
Leche vegetal de avena
Nata vegetal de avena
Sal marina atlántica
Pimienta negra molida

Prepara un pesto triturando piñones, albahaca, aceite de oliva, ajo y queso
parmesano (o levadura de cerveza).
Añade a partes iguales leche vegetal de avena y nata líquida de avena.
Salpimenta y sírvelo con unos piñones por encima.

PASTEL DE BRÓCOLI Y TOMATE SECO

150 g de brócoli
100 ml de nata vegetal
125 ml de leche vegetal no azucarada
2 cucharadas soperas colmadas de levadura de cerveza en copos
2 tomates secos, rehidratados, escurridos y troceados (parecerán trozos de jamón serrano)
2 cucharaditas de agar agar en polvo
Media cucharada de aceite de oliva
Pizca de cúrcuma
Pizca de cayena molida
Unas gotas de zumo de limón
Sal marina

Lava el brócoli, elimina el tronco y córtalo en trozos pequeños.

Cuécelo al vapor unos 15 minutos, ha de quedar tierno pero no demasiado blando.

Calienta en un cazo al fuego la leche vegetal mezclada con la nata y el agar agar.

Cuando rompa a hervir, vierte la mezcla en un recipiente grande.

Agrega la levadura de cerveza, el aceite de oliva, el zumo del limón, la cúrcuma, la pimienta de cayena y la sal.

Bate con unas varillas unos segundos para conseguir una mezcla homogénea.

Añade el tomate seco y el brócoli y mezcla bien.

Reparte la mezcla anterior en dos moldes para flanes individuales, introduce los moldes en la parte media del horno y deja que se cocinen 15 minutos a 180ºC.

Retira los moldes del horno y deja que se templen 30 minutos aproximadamente para que el agar agar cuaje.

Se puede desmoldar y adornar con unos arbolitos de brócoli, o no desmoldar, y comer así directamente.

PASTEL DE BERENJENAS Y PIMIENTO ROJO

150 g de berenjenas
100 ml de nata vegetal
125 ml de leche vegetal no azucarada
2 cucharadas soperas colmadas de levadura de cerveza en copos
Un trozo mediano de pimiento rojo
2 cucharaditas de agar agar en polvo
Media cucharada de aceite de oliva
Pizca de cúrcuma
Pizca de cayena molida
Unas gotas de zumo de limón
Sal marina

Parte las berenjenas en trozos grandes, sálalas y déjalas reposar 15 minutos.

Enjuágalas y sécalas bien con papel de cocina.

Cuécelas junto con el pimiento rojo al vapor unos 15 minutos, han de quedar tierno pero no demasiado blando.

Calienta en un cazo al fuego la leche vegetal mezclada con la nata y el agar agar.

Cuando rompa a hervir, vierte la mezcla en un recipiente grande.

Agrega la levadura de cerveza, el aceite de oliva, el zumo del limón, la cúrcuma, la pimienta de cayena y la sal.

Bate con unas varillas unos segundos para conseguir una mezcla homogénea.

Añade las berenjenas y el pimiento rojo y mezcla bien.

Reparte la mezcla anterior en dos moldes para flanes individuales, introduce los moldes en la parte media del horno y deja que se cocinen 15 minutos a 180ºC.

Retira los moldes del horno y deja que se templen 30 minutos aproximadamente para que el agar agar cuaje.

Se puede desmoldar y adornar con unas hojas verdes por encima canónigos, berros, rúcola...); no desmoldar, y comer así directamente; o cortarlo en rodajas y disponerlas sobre una cama de mayonesa (ver receta en pág. 123).

PASTEL DE ESPÁRRAGOS TRIGUEROS

150 g de espárragos trigueros
100 ml de nata vegetal
125 ml de leche vegetal no azucarada
2 cucharadas soperas colmadas de levadura de cerveza en copos
2 cucharaditas de agar agar en polvo
Media cucharada de aceite de oliva
Pizca de cúrcuma
Pizca de cayena molida
Unas gotas de zumo de limón
Sal marina

Parte los espárragos en trozos grandes, cuécelos al vapor unos 15 minutos, han de quedar tiernos pero no demasiado blando.

Calienta en un cazo al fuego la leche vegetal mezclada con la nata y el agar agar.

Cuando rompa a hervir, vierte la mezcla en un recipiente grande.

Agrega la levadura de cerveza, el aceite de oliva, el zumo del limón, la cúrcuma, la pimienta de cayena y la sal.

Bate con unas varillas unos segundos para conseguir una mezcla homogénea.

Añade los espárragos y mezcla bien.

Reparte la mezcla anterior en dos moldes para flanes individuales, introduce los moldes en la parte media del horno y deja que se cocinen 15 minutos a 180ºC.

Retira los moldes del horno y deja que se templen 30 minutos aproximadamente para que el agar agar cuaje.

Se puede desmoldar y adornar con unas hojas verdes por encima canónigos, berros, rúcola...); no desmoldar, y comer así directamente; o cortarlo en rodajas y disponerlas sobre una cama de mayonesa (ver receta en pág. 123).

RECETAS VEGETARIANAS FESTIVAS

ROLLO DE ESPINACAS Y PIMIENTO ROJO

Una bolsa de espinacas frescas grandes y sin el tallo
Medio pimiento rojo crudo, en tiras
400 g de (elegir una de las siguientes opciones): queso quark, yogur cremoso de cabra, nata vegetal cremosa, tofu blando estilo japonés, o anacardos remojados unas 4-6 horas y escurridos)
Sal marina atlántica
Pimienta negra molida
100 g de levadura de cerveza
Pan alemán cortado en lonchas finas, 100% centeno.

Cuece al vapor las hojas de espinacas y el pimiento rojo.
Haz un rectángulo con film transparente y dispón sobre él las hojas de espinacas, formando un rectángulo doble de largo que de ancho.
Pon encima el queso o el ingrediente elegido, extiéndelo bien, salpimienta y espolvorea con la levadura de cerveza.
Pon encima los pimientos y enrolla con fuerza con la ayuda del plástico transparente.
Congela durante 1-2 horas para que se endurezca.
A la hora de servir, córtalo en rodajas finas y dispón cada una de ellas sobre una tostada redonda, preferentemente de pan de centeno.

SOPA DE CEBOLLA AL CAVA

1 cebolla grande bien picada
50 g de mantequilla o margarina vegetal no hidrogenada
250 ml de caldo de verduras
Medio benjamín de cava
Varios ramilletes de romero fresco
3 rebanadas finas de pan (idealmente el pan de centeno negro alemán)
Nata vegetal

Calienta la mantequilla en una olla grande y rehoga en ella la cebolla, a fuego lento y tapada, durante 20 minutos.
Añade el caldo vegetal, el cava, el romero, y sigue cocinando a fuego lento durante 30 minutos.
Después saca el romero y bátelo todo. Sirve en pequeños cuencos individuales.
Coloca encima de cada cuenco una rebanada de pan integral tostada.
Vierte un chorrito de nata vegetal y decora con una hojita de romero justo antes de servir.

ÍNDICE DE RECETAS

AGRADECIMIENTOS

Gracias a todos los que han aportado su granito de arena para que este libro salga a la luz. En especial, gracias a todos los que han compartido su conocimiento y su experiencia, y me han ido formando, para poder seguir aprendiendo en la consulta con mis pacientes día tras día.

Gracias a quien nos lo pone difícil a los vegetarianos, en las tiendas de comida o ropa, en los restaurantes, a los familiares o amigos que nos cuestionan... Gracias a vosotros, los vegetarianos nos ocupamos más de estar mejor informados y nutridos.

Gracias a mis gatos, por enseñarme sobre el respeto animal.

Gracias a ti, querido lector, por contribuir al proyecto vegetariano.

A todos vosotros, muchas, muchas gracias. He sido muy feliz escribiendo este libro.

Te pido disculpas por los errores que pueda contener o si no has encontrado en él algo que necesitabas. Si necesitas ampliar información o realizar alguna observación o consulta sobre lo que has leído, puedes hacerlo a través de mi email personal. Estoy a tu disposición para servirte. Contacta conmigo si lo necesitas.

Gracias por compartir.
Se despide con mucho amor,

Ana Moreno.
ana@anamoreno.com

En Abril de 2011, en el Ashram Parmarth Niketan, de Rishikesh (India), días antes de inaugurar La Casa Rural y de Salud Vegetariana "La Fuente del Gato", en Olmeda de las Fuentes (Madrid). Más información en www.LaFuentedelGato.com

Quiero ser Vegetariano y no sé cómo

NOTA DEL AUTOR

Desde Junio de 2010 conduzco el programa de cocina "100% Vegetal" que se emite diariamente en Canal Cocina: www.canalcocina.es. Poner en práctica las recetas que preparo en "100% Vegetal" es una buena forma de aprender a cocinar vegetariano desde la salud, pues los platos que presento tienen su base en la medicina natural, y se evitan alimentos que, aun pudiendo formar parte de la alimentación vegetariana, no son recomendables, como el trigo, los lácteos, el azúcar, la soja, así como formas de cocción como los fritos o los horneados a temperaturas elevadas.

En la primavera de 2011 tengo la alegría de inaugurar una casa rural y de salud vegetariana en Olmeda de las Fuentes, un pequeño pueblo de 200 habitantes, a 40 kms de Madrid. "La Fuente del Gato" cuenta con 4 habitaciones y 10 plazas, y hoy por hoy, constituye mi proyecto de vida. Lo que más me gusta de Olmeda de las Fuentes es que según llegas ya te empiezas a sentir como si estuvieras de vacaciones, pero estás a sólo 40 kms de Madrid. Por eso decidí montar allí la casa rural y de salud vegetariana: La Fuente del Gato

¡Estás invitado a venir a conocernos!